· Antes que o café esfrie

TOSHIKAZU KAWAGUCHI

Tradução (do inglês)
Priscila Catão

Rio de Janeiro, 2025
15ª Edição

Publicado originalmente no Japão por Sunmark Publishing, Inc., Tóquio.

TÍTULO ORIGINAL
Before the coffee gets cold

CAPA
Raul Fernandes

FOTO DO AUTOR
Nobuyuki Kagamida

DIAGRAMAÇÃO
Kátia Regina Silva | editoriarte

Impresso no Brasil
Printed in Brazil
2025

CIP-BRASIL. CATALOGAÇÃO NA PUBLICAÇÃO
SINDICATO NACIONAL DOS EDITORES DE LIVROS, RJ
MERI GLEICE RODRIGUES DE SOUZA – BIBLIOTECÁRIA CRB-7/6439

k32a

15.ed.

Kawaguchi, Toshikazu

Antes que o café esfrie / Toshikazu Kawaguchi; tradução (do inglês) Priscila Catão. – 15. ed. – Rio de Janeiro: Valentina, 2025.

208p.; 21 cm.

ISBN 978-65-88490-36-5

1. Romance japonês. I. Catão, Priscila. II. Título.

CDD: 895.63

22-75692 CDU: 82-31(52)

Todos os livros da Editora Valentina estão em conformidade com
o novo Acordo Ortográfico da Língua Portuguesa.

EDITORA VALENTINA
Rua Santa Clara 50/1107 – Copacabana
Rio de Janeiro – 22041-012
Tel/Fax: (21) 3208-8777
www.editoravalentina.com.br

SUMÁRIO

SE FOSSE POSSÍVEL VIAJAR NO TEMPO,
QUEM VOCÊ GOSTARIA DE ENCONTRAR?

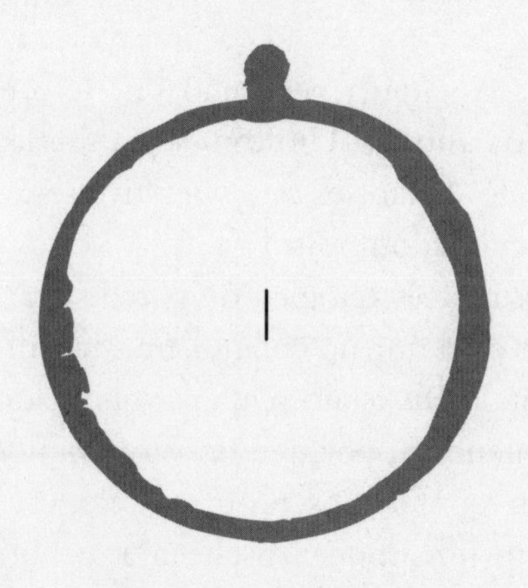

OS NAMORADOS

– Nossa, já está tão tarde assim? Sinto muito, mas preciso ir embora – murmurou o homem, evasivo, enquanto se levantava e estendia o braço para pegar sua bolsa.

– É sério? – questionou a mulher.

Confusa, lançou-lhe um olhar furioso. Não o escutara dizer que estava tudo acabado. É que ligara para ela – sua namorada havia dois anos – dizendo que queria ter uma *conversa séria*... mas agora estava anunciando, de repente, que ia trabalhar nos Estados Unidos. E partiria de imediato – em algumas horas. Mesmo sem ter escutado as palavras, neste momento ela entendeu que a *conversa séria* era para terminar o namoro. Agora ela sabia que tinha sido um erro pensar – esperar – que a *conversa séria* fosse incluir um "quer casar comigo?", por exemplo.

– É sério o quê? – indagou o homem secamente, sem fazer contato visual com ela.

– Não mereço uma explicação? – perguntou ela.

A mulher falou com um tom inquisitivo que o homem achava particularmente desagradável. Eles estavam num café subterrâneo, sem janelas. A iluminação era composta apenas de seis luminárias com cúpula, penduradas no teto, e de uma única arandela perto da entrada. Um tom sépia tingia por completo o interior do café. A não ser que você tivesse horas, não havia como saber se era dia ou noite.

O café possuía três relógios de parede grandes e antigos. Os ponteiros de cada um, no entanto, mostravam horas diferentes. Era proposital? Ou estavam apenas quebrados? Os clientes novos nunca entendiam por que ficavam assim. A única opção que tinham era conferir os próprios relógios de pulso. Foi o que o homem fez. Enquanto checava as horas, começou a esfregar a sobrancelha direita, ao passo que o lábio inferior se projetava levemente.

A mulher achava essa expressão particularmente irritante.

– Está com essa cara por quê? Como se eu é que estivesse sendo desagradável – reagiu ela de forma brusca.

– Não foi minha intenção – respondeu, sem jeito.

– Foi, sim! – insistiu ela.

Com o lábio inferior se projetando mais uma vez, ele fugiu do olhar dela e não retrucou.

O comportamento blasé do homem enfurecia a mulher cada vez mais. Ela franziu a testa.

– Vai mesmo querer que eu diga?

Ela estendeu a mão para pegar o café, cujo calor já tinha se dissipado. Tendo perdido a parte mais saborosa da experiência, seu humor despencou ainda mais.

O homem checou o relógio de novo e calculou quanto tempo tinha antes do embarque. Precisaria sair do café muito em breve. Sem conseguir se recompor a contento, seus dedos terminaram voltando para a sobrancelha.

Vê-lo tão obviamente preocupado com a hora a irritava. Ela largou a xícara de qualquer jeito na mesa, batendo-a com força no pires. *Plaft!*

O barulho alto o sobressaltou. Os dedos, que estavam ocupados acariciando a sobrancelha direita, começaram a puxar o cabelo. Mas então, após respirar fundo, voltou a se sentar e a encarou. De repente, a expressão facial dele parecia ter retornado à calma.

Na verdade, a mudança no rosto do homem fora tão nítida que a mulher ficou um tanto surpresa. Ela olhou para baixo, encarando as próprias mãos, unidas no colo.

O homem, preocupado com a hora, não esperou que ela olhasse para cima.

– Escute, veja só… – começou.

Ele não estava mais murmurando; parecia tranquilo e equilibrado.

Mas, como se tentasse impedir as próximas palavras dele, ela perguntou, ainda de cabeça baixa:

– Por que não vai embora de uma vez?

A mulher, que antes queria uma explicação, agora já não queria mais saber de escutá-la. O homem ficou sentado sem se mexer, como se o tempo tivesse parado.

– Não está na hora de você ir? – falou, com a petulância de uma adolescente.

Perplexo, ele a encarou. Parecia não estar entendendo o que ela queria dizer.

Como se tivesse percebido o quanto estava soando infantil e irritante, ela desviou o olhar, constrangida, e mordeu o lábio. Ele voltou a se levantar da cadeira e falou com a garçonete atrás do balcão.

– Com licença… traz a continha por favor – pediu em voz baixa.

O homem tentou pegar a conta, mas a mão da mulher a pressionou contra a mesa.

"Pode deixar, vou ficar mais um tempinho aqui… *eu pago*."

Era o que ela queria ter dito, mas ele puxara a conta de baixo da mão dela com facilidade e estava se dirigindo ao caixa.

– Pode passar tudo, obrigado.

– Ei, deixa que eu pago.

Sem se levantar da cadeira, a mulher estendeu a mão para o homem.

Mas ele se recusou a olhá-la. Tirou uma nota de mil ienes da carteira.

– E pode ficar com o troco – disse ele enquanto entregava a nota com a conta.

Por uma fração de segundo, o homem virou o rosto tomado pela tristeza para a mulher enquanto pegava a bolsa e ia embora.

DING-DONG

– ... e hoje já faz uma semana que isso aconteceu – contou Fumiko Kiyokawa.

O tronco tombou sobre a mesa como um balão murchando. Enquanto desabava, de alguma maneira ela conseguiu não derramar a xícara de café a sua frente.

A garçonete e a cliente sentada ao balcão, que ouviam a história de Fumiko, entreolharam-se.

Antes de concluir o ensino médio, Fumiko já dominava seis idiomas. Após se formar como a melhor aluna da turma na Universidade Waseda, começou a trabalhar em Tóquio, numa importante empresa de TI para a área médica. Logo em seu segundo ano de empresa, já comandava diversos projetos. Era o epítome da mulher moderna, inteligente e focada na carreira.

Hoje, vestia uma roupa social comum: blusa branca, saia preta e blazer. A julgar pelo visual, estava voltando para casa depois do trabalho.

A aparência de Fumiko era fora do comum. Abençoada com feições bem definidas e lábios delicados, tinha o rosto de um ídolo pop. O cabelo, de comprimento médio, brilhava e a coroava com uma auréola reluzente. Apesar das roupas conservadoras, era fácil distinguir sua admirável silhueta. Como uma modelo de revista de moda, ela era uma mulher bonita que atrairia qualquer olhar. Sim, uma mulher que combinava inteligência e beleza. Agora, se tinha noção disso... já era outra história.

Antigamente, Fumiko não costumava ligar para esse tipo de coisa – vivia apenas para o trabalho. É claro que isso não significava que ela nunca namorava. É que os namoros não a atraíam tanto quanto o trabalho. "Meu namorado é o meu trabalho", dizia ela. Recusava as investidas como se estivesse dando petelecos em partículas de poeira.

O homem de quem ela estava falando era Goro Katada. Goro era engenheiro de sistemas e, assim como Fumiko, trabalhava numa empresa de saúde, mas não muito importante. Ele era namorado dela – ele *era* namorado dela –, e três anos mais jovem. Tinham se conhecido dois anos antes por intermédio de um cliente para o qual ambos fizeram um projeto.

Uma semana atrás, Goro dissera para Fumiko que queria encontrá-la para ter uma "conversa séria". Ela chegara ao ponto de encontro usando um elegante vestido rosa-claro, uma jaqueta bege meia-estação e escarpins brancos, tendo chamado a atenção de todos os homens pelos quais passara no caminho. Era um novo visual para Fumiko. Sempre fora tão *workaholic* que, antes do relacionamento com Goro, tudo o que tinha no armário eram terninhos. Ela também usara terninhos nos seus encontros com Goro – afinal, costumavam se ver mais após o trabalho.

Goro dissera *conversa séria*, e Fumiko tinha achado que isso significava que o encontro seria especial. Então, cheia de expectativas, comprou uma roupa só para a ocasião.

Eles chegaram ao café escolhido e encontraram um aviso na fachada dizendo que estava fechado devido a um imprevisto. Fumiko e Goro ficaram decepcionados. O café teria sido ideal para uma conversa séria, pois cada mesa tinha sua própria cabine privativa.

Sendo obrigados a achar outro lugar adequado, avistaram um pequeno letreiro em uma ruazinha silenciosa, quase um beco. Por ser um café subterrâneo, não tinham como saber como era por dentro, mas Fumiko se sentiu atraída pelo nome, que era o título de uma música que ela cantava na infância, e eles toparam entrar.

Fumiko se arrependeu da decisão assim que deu uma olhada no local. Era ainda menor do que imaginara. O café tinha lugares no balcão e nas mesas, mas, com apenas três assentos no balcão e três mesas para duas pessoas, bastavam nove clientes para lotá-lo.

A não ser que a *conversa séria* que pesava na mente de Fumiko fosse ser sussurrada, ela seria completamente ouvida pelos demais. Outro ponto negativo era que, devido a algumas luminárias, tudo ali parecia sépia... não tinha nada a ver com o gosto dela.

Um lugar para negociações suspeitas...

Foi a primeira impressão que Fumiko teve da atmosfera. Ela se aproximou nervosa da única mesa vazia e se sentou. Havia três outros clientes e uma garçonete.

Na mesa mais distante, uma mulher de vestido branco de mangas curtas lia um livro em silêncio. Na mesa mais próxima da entrada, um homem de aparência comum. Tinha uma revista de viagem aberta sobre a mesa e fazia anotações num minúsculo caderno. A mulher sentada à frente do balcão estava usando uma regata de um vermelho bem vivo e uma legging verde. Tinha um quimono sem mangas pendurado no encosto de seu banco, e ainda estava com rolos no cabelo. Ela encarou Fumiko rapidamente, abrindo um grande sorriso. Em vários momentos durante a conversa entre Fumiko e Goro, a mulher fez comentários para a garçonete enquanto soltava gargalhadas.

Ao ouvir a explicação de Fumiko uma semana depois, a tal mulher de rolos no cabelo disse apenas:

– Saquei...

Na verdade, não tinha *sacado* nada – estava apenas continuando a conversa com a resposta apropriada. Seu nome era Yaeko Hirai. Cliente do café, ela acabara de completar 30 anos e trabalhava numa lanchonete, ou melhor, administrava um *host club*.* Sempre ia lá tomar uma xícara de café antes do trabalho. Estava com os rolos de novo, mas hoje vestia um top amarelo e decotado, uma minissaia vermelha brilhante e uma legging de um roxo chamativo. Hirai estava sentada de pernas cruzadas no banco do balcão enquanto escutava Fumiko.

– Foi uma semana atrás. Você lembra, né? – disse Fumiko ao se levantar, dirigindo sua atenção para a garçonete atrás do balcão.

– Hum... lembro, sim – respondeu a garçonete, constrangida, sem olhar para Fumiko.

O nome dela era Kazu Tokita. Trabalhava como garçonete e estudava na Universidade de Artes de Tóquio. Tinha um rosto bonitinho, pele clara e olhos puxados em formato de amêndoa, mas suas feições não eram, digamos, memoráveis. Era o tipo de rosto que, quando alguém olhava, fechava os olhos e tentava lembrar o que tinha visto, nada lhe vinha à mente. Em suma, passava despercebida. Não tinha presença. Também não tinha muitos amigos. Não que ela se preocupasse com isso – Kazu era o tipo de pessoa que achava as relações interpessoais um tanto entediantes.

– E... cadê ele? Onde ele está agora? – perguntou Hirai, brincando com a xícara na mão, sem parecer muito interessada.

---

* Tipo de bar no Japão onde os clientes pagam um preço mais caro pelas bebidas para poder interagir – conversando e flertando, por exemplo – com as mulheres/homens que trabalham no estabelecimento. (N.T.)

– Nos Estados Unidos – informou Fumiko, enchendo as bochechas de ar.

– Então seu namorado escolheu o trabalho. – Hirai tinha o talento de ir direto ao ponto.

– Não, não foi isso! – protestou Fumiko.

– Ora... foi isso, sim. Ele foi para os Estados Unidos ou não foi? – insistiu Hirai, com dificuldade para compreender a história.

– Você não entendeu quando expliquei? – retrucou Fumiko com veemência.

– Que parte?

– Eu queria gritar "não vá", mas fui orgulhosa demais.

– Poucas mulheres admitiriam isso! – exclamou Hirai ao se recostar com um sorrisinho sarcástico, desequilibrando-se e quase caindo do banco.

Fumiko ignorou a reação de Hirai.

– Você entendeu, né? – disse ela, buscando apoio em Kazu.

Kazu fingiu refletir por um instante.

– Você está dizendo que não queria que ele fosse para os Estados Unidos, não é?

Kazu também costumava ir direto ao ponto.

– Bem, acho que... pois é, eu não queria. Mas...

– É difícil te entender – disse Hirai jovialmente, após ver que Fumiko não estava conseguindo ser clara.

Se Hirai estivesse no lugar de Fumiko, ela simplesmente teria desatado a chorar. "*Não vá!*", teria gritado. É óbvio que seriam lágrimas de crocodilo. Lágrimas são uma arma para as mulheres – essa era a filosofia de Hirai.

Fumiko se virou para Kazu. Seus olhos brilhavam.

– Enfim, eu preciso que você me transporte para aquele dia... aquele de uma semana atrás! – implorou ela com o rosto bem sério.

Hirai foi a primeira a reagir à loucura do pedido para ser transportada para uma semana atrás:

– Ela está falando sobre voltar no tempo?! – disse Hirai, de sobrancelhas erguidas e olhando para Kazu.

Parecendo constrangida, Kazu simplesmente murmurou:

– Tá...

E não acrescentou mais nada.

Vários anos haviam se passado desde a época em que o lugar se tornara famoso devido a uma lenda urbana que alegava que era capaz de fazer as pessoas viajarem no tempo. Sem interesse algum por esse tipo de coisa, Fumiko deixara a informação se esvaecer de sua memória. Tinha ido ao café uma semana atrás por puro acaso. Ontem à noite, contudo, assistindo a um programa de variedades na tevê... Na abertura, o apresentador falou de "lendas urbanas", e, como se um raio tivesse caído na sua cabeça, ela recordou do café. *O café que faz a pessoa viajar no tempo.* Era uma vaga recordação, mas ela se lembrou dessa frase com clareza.

Se eu voltar para o passado, talvez eu consiga corrigir as coisas. Talvez eu possa conversar com Goro outra vez. Repetiu mentalmente seu extravagante desejo várias vezes. Ficou obcecada por ele e terminou perdendo o bom senso.

Na manhã seguinte, foi para o trabalho, esquecendo-se completamente de tomar o café da manhã. Mas sua mente não estava no trabalho. Ficou sentada, obcecada com o passar das horas. *Eu quero ter certeza, só isso.* Assim que pudesse, ela tentaria descobrir se aquilo era de fato possível. Seu dia no trabalho foi uma longa sucessão de erros por total descuido. A atenção estava tão instável que um colega perguntou se ela estava bem. No fim do dia, a cabeça já se encontrava totalmente nas nuvens.

De metrô, demorou trinta minutos para ir da empresa ao café. Foi praticamente correndo da saída da estação até lá. Após entrar um tanto ofegante, aproximou-se de Kazu.

– Por favor, me faça voltar no tempo! – implorou antes mesmo que Kazu pudesse terminar de dizer *Olá, seja bem-vinda.*

Manteve o entusiasmo até terminar a explicação. Mas agora, ao ver a reação das duas mulheres, acabou ficando constrangida.

Hirai continuou encarando-a com um sorrisinho, enquanto Kazu se mantinha inexpressiva e evitava qualquer tipo de contato visual.

Se fosse realmente possível viajar no tempo, acho que aqui estaria lotado de gente, pensou Fumiko. Mas as únicas pessoas no café eram a mulher de vestido branco, o homem com sua revista de viagem, Hirai e Kazu – os mesmos rostos que estavam lá uma semana atrás.

– É possível voltar, né? – perguntou ela, ansiosa.

Talvez tivesse sido prudente começar com essa pergunta. Mas não adiantava nada perceber isso só agora.

– Bem, é ou não? – insistiu ela, encarando Kazu do outro lado do balcão.

– Hum. Bem... – respondeu Kazu.

Os olhos de Fumiko brilharam outra vez. Ela não tinha escutado um *não*.

Então, começou a ser tomada pela empolgação.

– Por favor, me faça voltar! – implorou com tanta intensidade que parecia que ia saltar por cima do balcão.

– Você quer voltar pra fazer o quê? – perguntou Hirai com tranquilidade, entre os goles em seu café morno.

– Eu queria me redimir – explicou, com o rosto sério.

– Saquei... – disse Hirai dando de ombros.

– Por favor! – exclamou, e suas palavras reverberaram pelo café.

Fazia muito pouco tempo que a ideia de se casar com Goro lhe ocorrera. Completaria 28 anos naquele ano, e os pais, que moravam em Hakodate, em inúmeras ocasiões haviam perguntado: "*Não está pensando em se casar? Ainda não conheceu nenhum rapaz agradável?*", e coisas do tipo. A insistência de seus pais tinha se intensificado desde o ano passado, quando a irmã de 25 anos se casou. Agora chegara a ponto de receber e-mails semanais. Além da irmã mais nova, Fumiko tinha um irmão de 23 anos. Ele se casara com uma moça da cidade natal deles após uma gravidez inesperada, deixando apenas Fumiko solteira.

Fumiko não sentia pressa alguma, mas a cabeça mudou um pouco após o casamento da irmã caçula. Ela começara a pensar que talvez fosse aceitável se casar, se fosse com Goro.

Hirai tirou um cigarro de sua bolsa de oncinha.

– Talvez seja melhor explicar direito para ela, não acha? – disse a Kazu de um jeito pragmático enquanto se animava.

– Acho que sim – respondeu Kazu com voz inexpressiva enquanto dava a volta no balcão e parava na frente de Fumiko.

Encarou-a com uma leve ternura nos olhos, como se estivesse consolando uma criança aos prantos.

– Olha só. Quero que me escute com cuidado, ok?

– Claro – disse Fumiko, e seu corpo ficou tenso.

– Você pode voltar no tempo. É verdade, pode voltar, mas...

– Mas...?

– Quando você voltar, por mais que tente, o presente não vai mudar.

O presente não vai mudar. Fumiko estava totalmente despreparada para ouvir isso e não conseguiu entender.

– Hã? – estranhou ela em voz alta, sem pensar.

Kazu continuou:

– Mesmo que você volte para o passado e conte a seu... hum, namorado que foi para os Estados Unidos o que você sente... – disse com a maior calma do mundo.

– Mesmo que eu conte o que sinto?

– O presente não vai mudar...

– Como assim?

Em desespero, Fumiko cobriu os ouvidos.

Mas Kazu prosseguiu com serenidade e disse as palavras que Fumiko menos queria ouvir:

– O fato de que ele foi para os Estados Unidos.

Uma sensação de tremor se espalhou pelo corpo inteiro de Fumiko.

No entanto, com uma aparente despreocupação com os sentimentos dela, Kazu continuou a explicação:

– Mesmo que você volte para o passado, revele seus sentimentos e peça para ele não ir, o presente não vai mudar.

Fumiko reagiu impulsivamente às palavras frias e duras de Kazu:

– Então não vai adiantar porcaria nenhuma, não acha? – disse ela, num tom provocador.

– Calma... não é culpa dela – esclareceu Hirai e deu uma tragada no cigarro, parecendo nada surpresa com a reação de Fumiko.

– Por quê? – perguntou Fumiko, os olhos implorando por respostas. – Eu não entendo...

– Por quê? Eu vou te contar por que é assim – começou Kazu. – Porque é a regra.

Em qualquer filme ou livro sobre viagem no tempo, parece haver uma espécie de regra que diz *Não se meta com nada que vá mudar o presente*. Por exemplo, voltar no tempo e tentar impedir que seus pais se casassem ou se conhecessem apagaria as circunstâncias do seu nascimento e faria o seu eu atual desaparecer.

Costumava ser assim na maioria das histórias de viagem no tempo que Fumiko conhecia, então ela acreditou na regra: *Se você muda o passado, o presente* de fato *muda também*. Assim, ela queria voltar no tempo e ter uma chance de fazer tudo de outro jeito. Infelizmente, um sonho que não se concretizaria.

Ela queria uma explicação convincente para a existência da abominável regra de que *nada do que você fizer no passado poderá alterar o presente*. A única explicação que Kazu pôde dar foi: *Porque é a regra*. Será que ela não estava deixando de contar o motivo só para brincar com Fumiko? Ou talvez fosse um conceito difícil demais de ser explicado. Ou, de repente, ela própria também não entendesse o motivo, como sua fisionomia, que expressava naturalidade, aparentava sugerir.

Hirai parecia estar se divertindo com a expressão de Fumiko.

– Que azar, hein – disse ela, expirando a fumaça com um nítido prazer.

Havia pensado nessa frase quando Fumiko começou a se explicar e estava esperando para dizê-la desde então.

– Mas… por quê?

Fumiko sentiu sua energia se esvaindo.

Enquanto deixava o corpo se curvar pesadamente, uma lembrança vívida logo lhe veio à mente. Ela já havia lido uma matéria sobre aquele café numa revista. Intitulava-se: "Desvendando o enigma por trás do 'Café da Viagem no Tempo', célebre devido a uma lenda urbana". Em linhas gerais, o texto dizia o seguinte: o nome do café era Funiculì Funiculà. Havia se tornado famoso, com longas filas todos os dias, devido a tal viagem no tempo. Porém, não era possível encontrar ninguém que realmente tivesse voltado no tempo por causa das regras extremamente irritantes que tinham de ser seguidas.

A primeira era: *Você só pode encontrar no passado pessoas que já estiveram no café.* Assim, o propósito de viajar no tempo costumava ser frustrante. Outra regra era: *Você não pode fazer nada no passado para mudar o presente.* Perguntaram aos funcionários do café o porquê dessa regra, mas eles disseram que não sabiam.

Como o autor da matéria não conseguiu encontrar ninguém que realmente tivesse visitado o passado, continuava sendo um mistério se era possível ou não voltar no tempo. Mesmo supondo que fosse possível, o impasse de não poder mudar o presente certamente tornava toda a ideia inútil.

O texto terminava dizendo que a lenda urbana era mesmo interessante, mas que era difícil entender as origens e os propósitos. Como pós-escrito, a matéria também mencionava que, aparentemente, havia outras regras que precisavam ser seguidas, mas que elas não tinham ficado muito claras.

Fumiko voltou a prestar atenção no café. Hirai se sentou na frente dela, à mesa, e, alegremente, continuou explicando as outras regras. Com a cabeça e os ombros ainda esparramados na mesa, Fumiko fixou o olhar no pote de açúcar, perguntando-se por que o café não usava açúcar em cubos, e ficou escutando em silêncio.

– Tem mais regras. É somente uma cadeira que permite a viagem no tempo, tá? E, enquanto estiver no passado, você não pode sair dela – disse Hirai. – O que mais, hein? – perguntou para Kazu, contando nos dedos até o número cinco.

– Tem um limite de tempo – respondeu Kazu, encarando pensativa o copo que estava secando com um paninho.

A informação veio como uma mera reflexão, como se Kazu estivesse falando sozinha.

Fumiko ergueu a cabeça, reagindo à novidade:

– Limite de tempo?!

Kazu abriu um discreto sorriso e fez que sim.

Hirai bateu a mão na mesa.

– Francamente, só de ouvir essas regras, quase todos desistem de voltar ao passado – contou, aparentemente se divertindo. E ela estava de fato sentindo um enorme prazer enquanto observava Fumiko. – Faz muito tempo que não vemos uma cliente como você, alguém obcecado com a ideia de voltar para o passado.

– Hirai... – repreendeu-a Kazu com aspereza.

– A vida não vem servida numa bandeja. Por que você não desiste de uma vez? – perguntou Hirai bruscamente, parecendo preparada para continuar falando.

– Hirai... – repetiu Kazu, agora com mais ênfase ainda.

– Ã-ã. Não mesmo. Não é melhor deixar logo tudo bem claro? – disse Hirai e soltou uma ruidosa gargalhada.

Aquelas palavras foram demais para Fumiko. Sua força se esvaiu do corpo, e mais uma vez ela se prostrou e desabou sobre a mesa.

Então, do outro lado do café…

– Eu queria um refil, por favor – pediu o homem sentado à mesa que ficava mais próxima da entrada, com a revista de viagem aberta a sua frente.

– Pode deixar – respondeu Kazu.

DING-DONG

Uma mulher tinha entrado no café sozinha. Estava de cardigã bege por cima de um vestido chemise azul-claro, tênis carmim e trazia uma bolsa branca de tecido. Os olhos eram redondos e brilhavam como os de uma menininha.

– Olá. – A voz de Kazu ressoou pelo café.

– Oi, Kazu.

– Oi, maninha!

Kazu chamou a mulher de "maninha", mas na verdade era Kei Tokita, esposa do primo de Kazu.

– Pelo jeito, já deu para as cerejeiras – comentou Kei, parecendo não lamentar o fim da floração.

– Pois é, as árvores estão bem nuas.

O tom de voz de Kazu era educado, mas não era o mesmo tom polido e formal que adotara ao falar com Fumiko. Agora, sua voz parecia mais suave, como o canto de uma ave.

– Boa noite – disse Hirai enquanto ia da cadeira da mesa de Fumiko ao balcão, aparentando ter perdido o interesse em rir do infortúnio da moça. – Onde você estava?

– No hospital.

– Foi fazer o quê, lá? Só exames de rotina?

– Isso.

– Está um pouco mais corada hoje.

– Pois é, estou me sentindo bem.

Ao olhar para Fumiko ainda prostrada sobre a mesa, Kei inclinou a cabeça com curiosidade. Hirai fez que sim discretamente, então Kei desapareceu atrás do balcão, entrando no cômodo escuro.

DING-DONG

Logo após Kei desaparecer, um homem enorme pôs a cabeça na porta, curvando-se para não batê-la na armação. Vestia uma jaqueta leve por cima do uniforme de chef – camisa branca e calça preta. Um imenso molho de chaves balançava na sua mão direita. Era Nagare Tokita, o proprietário.

– Boa noite – cumprimentou-o Kazu.

Nagare assentiu e desviou o olhar para o homem com a revista sentado à mesa mais próxima da entrada.

Kazu entrou na cozinha a fim de pegar um refil para a xícara vazia que Hirai segurava no ar e em silêncio, enquanto Hirai, apoiando um cotovelo no balcão, observava Nagare sem dizer nada.

Nagare estava parado na frente do homem absorto em sua revista.

– Fusagi – disse baixinho.

Por um instante, o homem chamado Fusagi não reagiu, como se não tivesse percebido que tinham dito o seu nome. Em seguida, ele bem lentamente olhou para cima.

Nagare fez que sim educadamente.

– Olá.

– Ah, oi – devolveu Fusagi, inexpressivo, e na mesma hora voltou a prestar atenção na revista.

Por um instante, Nagare continuou parado, encarando-o.

– Kazu – ele chamou em direção à cozinha.

Kazu pôs a cabeça para fora da cozinha.

– O que foi?

– Ligue para Kohtake pra mim, por favor.

O pedido deixou Kazu confusa por alguns segundos.

– Ligue, ela está procurando... – disse Nagare enquanto se virava para Fusagi outra vez.

Kazu, enfim, entendeu o enigmático recado.

– Ah... tá bem – respondeu ela.

Após encher a xícara de Hirai, Kazu entrou no cômodo dos fundos para dar o telefonema.

Nagare olhou de esguelha para Fumiko, prostrada sobre a mesa, enquanto ia para trás do balcão e pegava um copo na prateleira. Tirou uma caixa de suco de laranja da geladeira debaixo do balcão, encheu o copo despreocupadamente e bebeu tudo.

Então, levou o copo até a cozinha para lavá-lo. Um instante depois, ouviu o som de unhas tamborilando sobre o balcão.

Ele pôs a cabeça para fora da cozinha a fim de ver o que estava acontecendo.

Hirai fez um discreto gesto para chamá-lo. Com as mãos pingando, aproximou-se silenciosamente. Ela se inclinou um pouco por cima do balcão.

– Como foi? – Hirai sussurrou para ele, que procurava o papel-toalha.

– Hum... – murmurou Nagare, ambiguamente.

Talvez fosse uma resposta à pergunta, ou talvez fosse apenas um grunhido frustrado enquanto procurava o fugidio papel--toalha. Hirai falou ainda mais baixo:

– E os resultados do exame?

Sem responder, Nagare apenas coçou rapidamente o topo do nariz.

– Foram ruins? – insistiu Hirai mais soturnamente, mas a expressão de Nagare não mudou.

– Depois que os resultados saíram, eles decidiram que ela não precisa ser hospitalizada – explicou ciciando bem baixinho, quase como se estivesse falando consigo mesmo.

Hirai suspirou levemente.

– Entendi… – disse ela, e olhou para o cômodo dos fundos, onde Kei estava.

Kei nascera com o coração fraco. Ao longo da vida, viveu pelos hospitais. No entanto, como tinha sido abençoada com um jeito afável e despreocupado, ela sempre conseguia sorrir, mesmo que sua condição tivesse piorado. Hirai conhecia muito bem essa característica dela. Por isso conferiu com Nagare.

Nagare finalmente encontrou o papel-toalha e estava enxugando as mãos.

– E você, Hirai? Como vão as coisas?

Hirai não sabia a que coisas Nagare estava se referindo. Ela arregalou os olhos.

– Como assim?

– Sua irmã tem vindo encontrá-la com mais frequência, não é?

– Ah… Parece que sim – respondeu Hirai enquanto dava uma olhada ao redor.

– Seus pais administram um hotel, não é?

– Isso, exatamente.

Nagare não sabia muitos detalhes, mas tinha escutado que, após Hirai sair da casa de sua família, a irmã tinha assumido a gerência do empreendimento.

– Deve ser difícil para a sua irmã tocar tudo sozinha.

– Que nada, ela tá se virando bem. Minha irmã tem uma cabeça boa para lidar com esse tipo de trabalho.

– Mesmo assim…

– Já passou tempo demais. Eu não posso mais voltar pra casa – retrucou Hirai.

Ela tirou um porta-moedas imenso da bolsa de oncinha. Era tão grande que mais parecia um minidicionário. Enquanto remexia dentro dele, as moedas tiniam.

– Por que não?

– Mesmo que eu voltasse para casa, eu não ajudaria em nada – explicou, inclinando a cabeça com um sorriso amarelo.

– Mas…

– Enfim, obrigada pelo café. Preciso ir embora – disse ela, interrompendo Nagare.

Pôs o dinheiro do café no balcão, levantou-se e saiu como se estivesse fugindo da conversa.

DING-DONG

Enquanto pegava as moedas que Hirai deixara, Nagare olhou para Fumiko encurvada sobre a mesa. Foi apenas uma olhadela, contudo. Ele não parecia muito interessado em saber quem era aquela mulher com o rosto no tampo. Pegou as moedas com suas manzorras e balançou-as de uma maneira brincalhona.

– Ei, mano. – O rosto de Kazu apareceu no batente ao passo que ela o chamava do cômodo dos fundos. Chamava Nagare de "mano" apesar de ele ser primo, não irmão.

– O quê.

– Ligação pra você.

Nagare deu uma olhada ao redor.

– Tá bem, estou indo.

Então, pôs as moedas casualmente na mão de Kazu.

– Kohtake avisou que está vindo agorinha – informou Kazu.

Nagare fez que sim ao ouvir a notícia.

– Cuide do salão, pode ser? – pediu ele, desaparecendo no cômodo dos fundos.

– Claro – disse ela.

Porém, as únicas pessoas no café eram a mulher lendo o romance, Fumiko, ainda encurvada sobre a mesa, e Fusagi, que fazia anotações com a revista aberta a sua frente. Após pôr as moedas na caixa registradora, Kazu recolheu a xícara deixada por Hirai. Um dos três antigos relógios de parede bateu cinco vezes, ressoando profundamente.

– Café, por favor.

Fusagi chamou Kazu atrás do balcão, erguendo sua xícara enquanto falava. Até agora não tinha recebido o refil que pedira.

– Ah... é mesmo! – exclamou Kazu ao perceber e foi correndo para a cozinha.

Retornou segurando uma jarra de vidro transparente, cheia de café.

– Ainda assim seria aceitável – murmurou Fumiko.

Enquanto servia o refil para Fusagi, Kazu avistou Fumiko pelo canto do olho, o que atraiu sua atenção.

Fumiko, enfim, se endireitou na cadeira.

– Ainda assim eu topo. Tudo bem se nada mudar. As coisas podem ficar como estão.

Fumiko se levantou e foi até Kazu, invadindo um pouco seu espaço. Após pôr a xícara de café com delicadeza na frente de Fusagi, Kazu franziu a testa e deu dois passos para trás.

– Tá... Tá bem – disse ela.

Fumiko se aproximou ainda mais.

– Então me transporte... para uma semana atrás!

Parecia que suas dúvidas tinham desaparecido. Não havia mais nenhum sinal de incerteza nas suas palavras. Na verdade, parecia haver apenas entusiasmo com a oportunidade de voltar para o passado. Suas narinas se alargaram de empolgação.

– Hum... mas...

Sentindo-se desconfortável com aquela atitude opressora de Fumiko, Kazu deu a volta nela e retornou para trás do balcão, como se procurasse um refúgio.

– Tem mais uma regra importante – avisou ela.

Ao ouvir essas palavras, as sobrancelhas de Fumiko ergueram-se consideravelmente.

– O quê? Mais regras?

– Vamos lá: você só pode encontrar no passado pessoas que já estiveram aqui neste café. O presente não pode mudar. Somente uma cadeira pode levá-la ao passado, e você não pode sair dela. E também há algo sobre o limite de tempo.

Enquanto Kazu listava cada regra, Fumiko contava nos dedos e se enraivecia cada vez mais, apenas por recapitular.

– E é a mais problemática.

Fumiko já estava extremamente irritada com as regras que sabia. Descobrir que havia uma adicional, *a mais problemática*, ameaçou partir seu coração ao meio. No entanto, ela mordeu o lábio e fez que sim para Kazu, como se para enfatizar sua determinação.

– Se é assim, tudo bem. Que seja. Vamos, pode me dizer – falou ela, cruzando os braços.

Kazu puxou o ar como se quisesse falar "Tá, já vou dizer", e entrou na cozinha para guardar a jarra de vidro que estava segurando.

Quando ficou sozinha, Fumiko respirou fundo com o intuito de se recompor. Seu objetivo inicial tinha sido voltar ao passado para, de alguma maneira, impedir Goro de ir para os Estados Unidos.

A ideia de impedir a ida dele não soava muito bem, mas se confessasse, "Não quero que você vá", talvez Goro desistisse de ir. Se as coisas corressem bem, quem sabe eles nunca terminassem o namoro. Fosse como fosse, a razão inicial para querer voltar ao passado tinha sido *para mudar o presente.*

Porém, se não era possível mudar o presente, também não era possível impedir a partida de Goro nem o fim do namoro. De qualquer modo, Fumiko ainda desejava intensamente voltar ao passado – o que ela mais queria era voltar e ver no que daria. Seu objetivo concentrava-se no ato de voltar. Seu coração decidira que queria vivenciar esse fantástico fenômeno.

Ela não sabia se viagem no tempo era algo bom ou ruim. *Deve ser algo bom, e como é que poderia ser algo ruim?*, refletiu consigo. Assim que expirou profundamente, Kazu voltou. O rosto de Fumiko ficou tenso como um réu aguardando a decisão do tribunal. Kazu estava parada atrás do balcão.

– A pessoa só pode viajar no tempo quando está numa certa cadeira do café – explicou ela de novo.

Fumiko reagiu de imediato.

– Qual? Onde eu preciso me sentar? – perguntou Fumiko e deu uma olhada no café com tanta rapidez que quase fez um som sibilante ao virar a cabeça de um lado para o outro.

Ignorando a reação, Kazu virou o rosto e encarou a mulher de vestido branco.

Fumiko acompanhou seu olhar fixo.

– Ali – apontou Kazu falando baixinho.

– Naquela onde está aquela mulher? – sussurrou Fumiko do outro lado do balcão enquanto mantinha os olhos colados na mulher de vestido.

– Isso – respondeu Kazu simplesmente.

Porém, antes mesmo de terminar de ouvir a curta resposta, Fumiko já estava se aproximando da mulher de vestido branco.

Era uma figura que dava a impressão de que a sorte tinha passado sem percebê-la. A pele branca, quase translúcida, contrastava bastante com os cabelos longos e pretos. Podia ser primavera, mas o clima ainda estava frio demais para se ficar com a pele exposta. Porém, as mangas do vestido eram curtas, e ela não parecia ter trazido um casaco. Fumiko estava com a sensação de que havia algo errado. Mas agora não era o momento de se preocupar com essas coisas.

Fumiko falou com a mulher:

– Hum, com licença, você se incomodaria muito se nós duas trocássemos de lugar? – perguntou ela, contendo a impaciência.

Achou que tinha falado com educação, sem grosseria, mas a mulher de vestido não reagiu. Era como se nem a tivesse escutado. Fumiko se sentiu um pouco incomodada com isso. Raras vezes a pessoa pode estar tão absorta num livro que não escuta as vozes e os sons ao redor. Fumiko presumiu que era esse o caso.

Ela tentou de novo.

– Oi? Está me ouvindo?

Nada.

– Está perdendo tempo.

A voz veio de trás de Fumiko inesperadamente. Era Kazu. Fumiko demorou um instante para entender o que ela queria dizer.

Eu queria apenas que ela me desse o lugar dela. Por que é perda de tempo? É perda de tempo perguntar educadamente? Espera aí. Será que é outra regra? Eu preciso descobrir essa outra regra primeiro? Se for isso, acho que ela poderia me dizer algo mais útil do que "Está perdendo tempo".

Eram esses os pensamentos que passavam pela sua cabeça. Porém, terminou fazendo uma simples pergunta:

– Por quê? – Fumiko se dirigiu a Kazu com uma expressão de pura inocência infantil.

Kazu olhou-a bem nos olhos.

– Porque ela... é um fantasma – respondeu Kazu de modo assertivo.

Kazu parecia estar mesmo falando muito a sério, como se fosse totalmente verdade.

Mais uma vez, os pensamentos na mente de Fumiko aceleraram. *Fantasma? Um fantasma real, daqueles que gemem e gritam? Que aparecem debaixo de um salgueiro no verão? A moça falou tão naturalmente... de repente eu ouvi errado, não? Mas o que soaria parecido com "é um fantasma"?*

A cabeça de Fumiko estava tomada pelos seus muitos pensamentos confusos.

– Um fantasma?!

– Isso.

– Tá brincando.

– Não, é sério. Ela é um fantasma.

Fumiko ficou perplexa. Alegrou-se por não ter se perguntado muito se fantasmas realmente existiam. Mas não conseguia aceitar a possibilidade de a mulher de vestido ser um fantasma. Ela parecia real demais.

– Mas eu consigo...

– Enxergá-la – concluiu Kazu, como se soubesse o que Fumiko ia dizer.

Fumiko estava confusa.

– Mas...

Sem pensar, ela estendeu, vacilante, a mão na direção do ombro da mulher. Quando estava prestes a tocar o vestido dela, Kazu disse:

– Pode tocar.

Mais uma vez, Kazu já estava com a resposta na ponta da língua. Fumiko pôs a mão no ombro da mulher como se para confirmar que era possível tocá-la. Ela tinha certeza absoluta de que conseguia sentir o ombro da mulher e o tecido do vestido que cobria sua pele macia. Não conseguia acreditar que era um fantasma.

Ela afastou a mão delicadamente. Depois, encostou-a no ombro da mulher outra vez. Virou-se para Kazu como se quisesse dizer *É óbvio que eu conseguiria tocar nela, que loucura dizer que é um fantasma!*

Mas o rosto de Kazu continuou sereno e circunspecto.

– É um fantasma.

– Sério? Um fantasma?

Fumiko aproximou a cabeça e encarou o rosto da mulher, uma atitude bem grosseira.

– Sim – respondeu Kazu, dando certeza absoluta.

– Não é possível. Não posso acreditar.

Se Fumiko pudesse vê-la, mas não conseguisse tocar nela, até poderia ter aceitado. Mas não era esse o caso. Ela conseguia encostar na mulher. A mulher tinha pernas. Fumiko nunca tinha ouvido falar do título do livro que a mulher estava lendo. Era, contudo, um livro normal, daqueles que se compram em quase qualquer esquina. Assim, Fumiko criou sua própria teoria.

Na verdade, não era possível voltar ao passado. O café não fazia a pessoa viajar no tempo. Era apenas uma tática para atrair gente. Por isso as incontáveis regras irritantes, por exemplo. Eram apenas os primeiros obstáculos para fazer os clientes que queriam voltar para o passado desistirem. Se o cliente passasse por eles, o próximo obstáculo, para quem ainda assim quisesse voltar no tempo, era esse. Eles mencionavam um fantasma para que a pessoa se assustasse e desistisse da ideia. A mulher de vestido era um mero adorno. Ela estava fingindo ser um fantasma.

Fumiko estava começando a se sentir bem teimosa.

Se é tudo mentira, que seja. Mas não vou ser enganada por essa mentira.

Fumiko falou educadamente com a mulher de vestido.

– Escute, vai ser bem rapidinho. Por favor, não poderia deixar eu me sentar aí no seu lugar?

Mas era como se as palavras nem sequer tivessem chegado aos ouvidos da mulher.

Ela continuou lendo sem a menor reação.

Ser totalmente ignorada assim desanimou Fumiko.

Ela agarrou o braço da mulher.

– Pare! Você não deve fazer isso! – alertou Kazu com a voz alta.

– Ei! Pare de me ignorar! – Fumiko tentou tirar a mulher da cadeira à força.

Foi então que aconteceu… os olhos da mulher se arregalaram e, furiosa, encarou Fumiko.

Fumiko sentiu como se o peso de seu corpo tivesse se multiplicado. Parecia que dezenas de pesados cobertores haviam caído em cima dela. A luz do café transformou-se na penumbra de uma vela. Um uivo bizarro começou a reverberar pelo local.

Ela estava paralisada. Incapaz de mover os músculos, então caiu de joelhos e depois ficou de quatro.

– Arrrh! O que está acontecendo? O que está aconte...?

Ela não fazia ideia do que estava se passando ali. Kazu, com um jeito convencido, do tipo "eu bem que te avisei", simplesmente a interrompeu e disse:

– Ela amaldiçoou você.

Ao ouvir a palavra *amaldiçoou*, a princípio Fumiko não entendeu.

– Hã? – perguntou ela, grunhindo.

Sem conseguir aguentar a força invisível que parecia se intensificar, agora Fumiko estava deitada com o rosto colado no chão.

– O quê? O que é isso? O que está acontecendo?

– É uma maldição. Você fez o que fez, e ela amaldiçoou você – disse Kazu enquanto voltava para a cozinha, deixando Fumiko esparramada no chão.

Como estava deitada, Fumiko não viu Kazu se afastar, mas seu ouvido pressionado no assoalho escutou claramente o som dos passos ficando distante. O medo de Fumiko era tão intenso que ela ficou toda arrepiada, como se tivessem derramado água gelada no seu corpo inteiro.

– Só pode ser brincadeira, não é possível. Veja só como eu estou! E agora, o que eu faço?

Ninguém respondeu. Fumiko começou a tremer.

A mulher de vestido ainda estava encarando Fumiko com uma expressão aterrorizante. Parecia completamente diferente da mulher que lia seu livro com toda a calma há apenas alguns minutos.

– Me ajude! Por favor, alguém me ajude! – gritou Fumiko para a cozinha.

Kazu voltou lentamente. Fumiko não viu, mas Kazu vinha segurando uma jarra de vidro com café. Fumiko ouviu os passos se aproximando, mas não fazia ideia do que estava acontecendo – primeiro as regras, depois o fantasma, e agora… a maldição. Era tudo extremamente desnorteante.

Kazu nem demonstrara se ia ajudá-la ou não. Fumiko estava prestes a gritar "Socorro!" a plenos pulmões.

Mas bem naquele instante…

– Gostaria de mais um pouco de café? – perguntou Kazu tranquilamente, e Fumiko ouviu.

Fumiko estava irada. Além de ignorá-la em seu momento de total aflição, Kazu não apenas *não* estava ajudando – ela oferecia mais café para a mulher de vestido. Fumiko estava pasma. *Me disseram que ela era um fantasma, e eu errei ao não acreditar. Eu também errei ao agarrar o braço da mulher e tentar puxá-la à força para fora da cadeira. Mas mesmo quando eu gritei "me ajude!" a moça só fez me ignorar, e agora está perguntando na maior tranquilidade para a mulher se ela quer mais café?! Por que um fantasma ia querer tomar mais café?*

– Você só pode estar de brincadeira, né! – disse Fumiko, sem conseguir falar mais nada.

E, sem um pingo de hesitação:

– Sim, por favor – respondeu uma voz estranhamente etérea.

Tinha sido a mulher de vestido que falara. De repente, Fumiko sentiu seu corpo ficar mais leve.

– Aaah…

A maldição tinha acabado. Fumiko, livre e ofegante, ajoelhou-se e fulminou Kazu com o olhar.

Kazu retribuiu o olhar, como se estivesse perguntando *Tem algo a me dizer?*, e deu de ombros com indiferença. A mulher de vestido tomou um gole do café recém-servido e depois voltou a prestar atenção no livro, em silêncio.

Como se nada fora do normal tivesse acontecido, Kazu voltou à cozinha para devolver a jarra. Fumiko estendeu a mão outra vez para tocar o ombro da apavorante mulher. Seus dedos ainda conseguiam senti-la. *A mulher está aqui. Ela existe.*

Incapaz de compreender acontecimentos tão inquietantes, Fumiko estava completamente confusa. Tinha vivenciado tudo aquilo – não duvidava disso. Seu corpo tinha sido empurrado para o chão por uma força invisível. Embora sua mente não entendesse nada, o coração já analisara a situação o bastante para bombear um oceano de sangue pelo corpo.

Fumiko se levantou e andou até o balcão, sentindo-se tonta. Ao chegar lá, Kazu já tinha voltado da cozinha.

– Ela é mesmo um fantasma? – perguntou Fumiko a Kazu.

– É, sim.

Foi a única resposta de Kazu. Ela começara a encher o pote de açúcar.

Então algo totalmente impossível acabou de acontecer aqui... Fumiko mais uma vez começou a refletir. *Se o fantasma... e a maldição... se essas coisas realmente aconteceram, então o que o pessoal diz sobre voltar no tempo também deve ser verdade!*

Ter vivenciado a maldição convenceu Fumiko de que *era possível voltar no tempo*. Mas havia um problema.

Era a regra de que, para viajar no tempo, a pessoa tinha de se sentar numa cadeira específica. *No entanto, tem um fantasma sentado na tal cadeira. Que não capta nada do que eu digo. E quando eu tentei me sentar lá à força, me amaldiçoou. O que devo fazer então?*

– Você tem que esperar, só isso – explicou Kazu, como se pudesse ouvir os pensamentos de Fumiko.

– Como assim?

– Todo dia, ela vai ao banheiro uma única vez.

– E fantasma precisa ir ao banheiro?

– Enquanto ela estiver lá, você pode se sentar.

Fumiko olhou bem nos olhos de Kazu e, sutilmente, fez que sim. Parecia ser a única solução. Quanto à pergunta de Fumiko sobre fantasmas usarem o banheiro, Kazu não sabia se era curiosidade genuína ou uma piada, então decidiu ignorá-la com uma expressão impassível.

Fumiko respirou fundo. Um instante atrás, estava desesperada para se salvar. Agora tinha uma nova oportunidade e não abriria mão dela. Certa vez, Fumiko ouviu a velha lenda do milionário da palha de arroz, que fez o máximo com o pouco que tinha. Se ela queria ser como ele, teria de agir da mesma maneira.

– Tá… eu espero. Eu espero!

– Tudo bem, mas você precisa saber que ela não distingue dia de noite.

– Tá. Tudo bem, eu espero – disse Fumiko, disposta a fazer o que fosse preciso. – A que horas vocês fecham?

– O horário normal vai até as 20h. Mas se decidir esperar, você pode ficar o quanto quiser.

– Obrigada!

Fumiko sentou-se à mesa do meio. A cadeira estava virada para a mulher de vestido. Cruzou os braços e respirou fundo pelo nariz.

– Vou pegar o seu lugar! – anunciou ela, olhando zangada para a mulher de vestido, que, como sempre, estava lendo seu livro, absorta.

Kazu soltou um leve suspiro.

DING-DONG

– Olá. Seja bem-vindo! – desejou Kazu com o cumprimento padrão. – Kohtake!

Havia uma mulher parada na porta entreaberta. Parecia ter pouco mais de 40 anos.

Kohtake estava usando um cardigã azul-marinho por cima do uniforme de enfermeira e carregava uma bolsa de ombro lisa. Estava um pouco ofegante, como se tivesse corrido, e pôs a mão no peito como se quisesse acalmar a respiração.

– Obrigada por ter me ligado – agradeceu com rapidez.

Kazu fez que sim sorrindo e entrou na cozinha. Kohtake deu dois ou três passos na direção da mesa mais próxima da entrada e parou ao lado do homem chamado Fusagi. Ele não pareceu percebê-la.

– Fusagi – disse Kohtake com um tom gentil, normalmente usado com crianças.

A princípio, Fusagi não reagiu, como se nem tivesse percebido que tinha sido chamado. Porém, ao notá-la pela sua visão periférica, virou-se para ela com o olhar desfocado.

– Kohtake – murmurou ele.

– Sim. Sou eu – disse Kohtake articulando bem as palavras.

– O que está fazendo aqui?

– Eu tinha um tempinho livre e pensei em tomar um café.

– Ah... entendi – disse Fusagi.

Mais uma vez, ele voltou para sua revista. Kohtake, ainda o olhando, sentou-se casualmente na cadeira do outro lado da mesa. Ele não reagiu a isso e apenas virou a página da revista.

– Eu ouvi falar que você tem vindo muito aqui – disse Kohtake enquanto analisava todos os recantos do café, como um cliente que o visitasse pela primeira vez.

– Pois é – disse Fusagi simplesmente.

– Então você gosta de vir aqui?

– Ah... não tanto – respondeu ele de uma maneira que revelava claramente que gostava sim do lugar, e um discreto sorriso se formou em seus lábios. – Estou esperando – sussurrou.

– Está esperando o quê?

Ele se virou e olhou para a cadeira em que a mulher de vestido estava sentada.

– Ela sair da cadeira – respondeu, com o semblante transparecendo, sem querer, um ânimo infantil.

Fumiko não estava exatamente ouvindo a conversa, mas o café era pequeno.

– Como é que é?! – exclamou Fumiko, surpresa ao descobrir que Fusagi também estava esperando a mulher de vestido ir ao banheiro para poder voltar ao passado.

Ao ouvir a voz de Fumiko, Kohtake virou-se em sua direção, mas Fusagi, ao contrário, nem prestou atenção.

– Está mesmo? – perguntou Kohtake.

– Estou – respondeu Fusagi e não disse mais nada enquanto tomava um gole de café.

Fumiko estava abalada. *Por favor, que ele não seja meu concorrente.*

Afinal... ela percebeu na mesma hora que estaria em desvantagem caso os dois tivessem o mesmo objetivo. Quando ela chegou ao café, Fusagi já estava lá. Como ele chegara primeiro, seria dele a próxima vez. Por uma questão de educação, ela não furaria a fila. A mulher de vestido ia ao banheiro apenas uma vez ao dia. Assim, eles só tinham uma chance por dia de se sentar lá.

Fumiko estava decidida a viajar no tempo imediatamente. Não suportava a ideia de que talvez precisasse esperar mais um dia e não conseguiu disfarçar a inquietação causada pela novidade. Ela então se inclinou para o lado e virou o ouvido para se assegurar de que Fusagi realmente queria voltar ao passado.

– Você conseguiu se sentar lá hoje? – perguntou Kohtake.

– Hoje, não.

– Ué, não conseguiu?

– Pois é, não.

A conversa deles não estava amenizando os piores temores de Fumiko. Ela franziu a testa.

– Fusagi, o que vai querer fazer quando voltar no tempo?

Não restava dúvida – Fusagi estava esperando a mulher de vestido ir ao banheiro. A revelação foi um duro golpe para Fumiko. A decepção espalhou-se pelo seu rosto, e ela se prostrou sobre a mesa outra vez. A conversa devastadora prosseguiu.

– Tem algo que você queira corrigir?

– Ah… – Fusagi pensou por um instante. – É um segredo meu – explicou, com um sorriso pueril de satisfação.

– Um segredo seu?

– Isso.

Apesar de Fusagi ter dito que era segredo, Kohtake sorriu como se algo lhe tivesse agradado. Em seguida, ela olhou para a mulher de vestido.

– Mas hoje não está parecendo que ela vai ao banheiro, não é mesmo?

Fumiko não esperava ouvir isso e reagiu automaticamente, levantando a cabeça da mesa. De tão rápido, seu movimento foi quase audível. *É possível que a mulher nem vá ao banheiro? Kazu disse que ela vai uma vez ao dia. Mas, como aquela mulher disse, de repente ela já foi hoje… não, não pode ser. Espero que não seja isso.*

Torcendo para que não fosse isso, Fumiko esperou com receio o que Fusagi diria em seguida.

– Talvez você tenha razão – disse ele, cedendo rapidamente.

Não pode ser! A boca de Fumiko se abriu como se fosse soltar um berro, mas ela estava atônita. *Por que a mulher de vestido não vai ao banheiro? O que a tal de Kohtake sabe?* Ela estava desesperada para obter respostas.

Porém, sentiu que não deveria interromper a conversa. Sempre acreditara que analisar a situação era importante, e, no momento, toda a linguagem corporal de Kohtake dizia "não se meta!". Fumiko só não sabia muito bem no que é que ela não deveria se meter. Mas havia mesmo alguma coisa acontecendo ali – e espectadores não eram bem-vindos.

– Então... por que não vamos embora? – disse Kohtake com uma voz suave e persuasiva. – Hein?

Sua grande chance estava de volta. Deixando de lado a questão de a mulher já ter ido ao banheiro ou não, se Fusagi fosse embora, ao menos ela se livraria do concorrente.

Quando Kohtake sugeriu que a mulher de vestido provavelmente não fosse se mexer hoje, Fusagi apenas concordou, *Talvez você tenha razão*. Ele disse *talvez*. Era igualmente plausível que ele pudesse ter dito, *Vou esperar de qualquer jeito.* No caso de Fumiko, ela certamente esperaria. Então, concentrou todos os seus esforços mentais enquanto esperava a resposta dele, tentando não parecer ansiosa demais. Era como se o seu corpo fosse todo ouvidos.

Fusagi olhou para a mulher de vestido e ficou estático, pensativo.

– Tudo bem, pode ser – respondeu ele.

Como a resposta foi muito clara e simples, o coração de Fumiko nem chegou a parar. Seu entusiasmo foi para as alturas, e ela sentiu o coração acelerar.

– Combinado. Vamos embora assim que você terminar o café – disse Kohtake, olhando para a xícara pela metade.

Agora, parecia que Fusagi só queria saber de sair dali.

– Não, não precisa. Já esfriou mesmo – disse ele enquanto guardava desajeitadamente a revista, o caderno e o lápis, e se levantava da cadeira.

Ao mesmo tempo que vestia uma jaqueta de mangas felpudas – muito usada por trabalhadores da construção civil –, ele foi até o caixa. Em perfeita sincronia, Kazu voltou da cozinha. Fusagi entregou-lhe a conta do café.

– Quanto deu? – perguntou ele.

Kazu apertou o valor nas volumosas teclas da antiga caixa registradora. Enquanto isso, Fusagi conferia sua segunda bolsa, o bolso da camisa, o bolso de trás e todos os outros lugares em que conseguia pensar...

– Que estranho. Minha carteira... – murmurou ele.

Parecia que tinha ido ao café sem a carteira. Mesmo após procurar várias vezes nos mesmos lugares, não a encontrou. Fusagi aparentava estar chateado e até mesmo prestes a chorar.

Então, Kohtake mostrou inesperadamente uma carteira e a estendeu para ele.

– Aqui está.

Era uma carteira masculina de couro, bem desgastada e dobrada ao meio, cheia do que parecia ser uma pilha de notas fiscais. Fusagi parou por um instante e encarou a carteira a sua frente. Parecia genuinamente atordoado. Por fim, pegou a carteira sem dizer nada.

– Quanto deu? – perguntou ele novamente, remexendo no porta-moedas como se fosse um hábito familiar.

Kohtake, em silêncio, ficou parada atrás de Fusagi, observando-o pagar.

– Trezentos e oitenta ienes – informou Kazu.

Fusagi tirou uma moeda e a entregou a Kazu.

– Está bem, aqui tem 500...

Kazu pegou o dinheiro e o pôs dentro da caixa registradora.

Tlim-tlim...

Ela tirou o troco da gaveta.

– Aqui está seu troco, 120 ienes.

Kazu, com todo cuidado, botou o troco e a nota fiscal na mão de Fusagi.

– Obrigado pelo café – agradeceu ele, inserindo metodicamente o troco na carteira.

Então, guardou a carteira na bolsa, parecendo ter esquecido que Kohtake estava ali, e se dirigiu para a porta com rapidez.

DING-DONG

Kohtake não pareceu ter ficado nem um pouco incomodada com o comportamento dele.

– Obrigada – disse simplesmente, e foi atrás dele.

– Que estranhos aqueles dois – murmurou Fumiko.

Kazu limpou a mesa em que Fusagi estava sentado e voltou para a cozinha.

O aparecimento repentino de um rival chateara Fumiko, mas agora restavam apenas ela e a mulher de vestido, então estava certa de que a vitória seria sua.

Tá, a concorrência desapareceu. Agora só preciso esperar que ela saia da cadeira, pensou. Mas o café não tinha janelas, e os três relógios de parede indicavam horas distintas. Sem clientes chegando e partindo, ela estava perdendo a noção do tempo.

Enquanto já começava a sentir sono, listou mentalmente as regras para voltar ao passado.

A primeira regra: *no passado, você só pode encontrar pessoas que já estiveram no café*. A conversa de despedida de Fumiko com Goro, por acaso, tinha ocorrido no café.

A segunda regra: *por mais que alguém tentasse no passado, era impossível mudar o presente*. Em outras palavras, mesmo que Fumiko voltasse para aquele dia há uma semana e implorasse a Goro para não partir, isso não alteraria o fato de que tinha ido para os Estados Unidos. Fumiko não entendia por que tinha que ser assim e sentia que estava ficando chateada de novo por pensar no assunto. Porém, resignada, ela aceitou a situação, pois era a regra.

A terceira regra: *para voltar ao passado, você precisa se sentar numa cadeira específica e somente nela*. Era a cadeira ocupada pela mulher de vestido. Se a pessoa tentava se sentar nela à força, era amaldiçoada.

A quarta regra: *no passado, você precisa ficar sentada no mesmo lugar e não sair dele em nenhum momento*. Em outras palavras, por algum motivo, a pessoa não podia nem ir ao banheiro enquanto estivesse no passado.

A quinta regra: *há um limite de tempo*. Parando para pensar, Fumiko notou que ninguém lhe contara ainda os detalhes dessa. Ela não fazia ideia se era muito ou pouco tempo. Fumiko refletiu bastante sobre as regras, passando a limpo cada uma delas. Sua mente vinha e voltava – seria um tanto inútil ter a conversa, para logo mudar de ideia e estar certa de que poderia assumir o controle da conversa e dizer tudo o que queria, afinal, isso não poderia causar mal algum visto que nada mudaria o presente. Reanalisou repetidas vezes cada uma das regras, até que, prostrada sobre a mesa, acabou pegando no sono.

A primeira vez que Fumiko descobriu qual era o sonho de Goro foi quando ela o arrastou para o terceiro encontro dos dois. Goro era louco por games. Ele amava os MMORPG (*massively multiplayer online role-playing games*); jogava no PC. Seu tio tinha sido um dos programadores de um MMORPG chamado *Arm of Magic* – um jogo popular no mundo inteiro. Desde criança, Goro admirava o tio. O sonho de Goro era trabalhar na empresa de games que o tio dirigia: a TIP-G. Para concorrer a uma vaga na TIP-G era obrigatório ter duas coisas: (1) ao menos cinco anos de experiência como engenheiro de sistemas na indústria médica, e (2) um novo jogo, ainda não lançado, que você mesmo tivesse desenvolvido. Vidas humanas dependem da segurança da indústria médica, e bugs não são tolerados. Na indústria de jogos online, por outro lado, as pessoas toleram os bugs, pois é possível fazer updates mesmo após o lançamento.

A TIP-G era diferente. Ela só recrutava candidatos com experiência na indústria médica para garantir que apenas os melhores programadores seriam contratados. Quando Goro contou isso a Fumiko, ela achou que era um sonho maravilhoso. Ela não sabia, contudo, que a sede da TIP-G ficava nos Estados Unidos.

Na sétima saída do casal, Fumiko estava esperando Goro chegar ao ponto de encontro combinado quando dois homens começaram a puxar papo, tentando paquerá-la. Ambos eram bonitos, mas Fumiko não estava interessada. Os homens sempre tentavam dar em cima dela, então ela criara uma técnica para lidar com isso. Antes mesmo de poder colocá-la em prática, Goro chegou e ficou parado, parecendo constrangido. Fumiko foi correndo até ele, mas os dois homens não se deram por vencidos – sorriram com desdém para Goro e questionaram por que ela estava com *aquele nerd*. Fumiko não teve escolha e precisou iniciar seu discurso.

Goro baixou a cabeça e preferiu não dizer nada. Mas ela se virou para os dois e disse: "Vocês não sabem o quanto ele é charmoso" (em inglês), "Ele tem a coragem de assumir as tarefas difíceis no trabalho" (em russo), "Ele tem disciplina mental e não desiste" (em francês), "Ele é capaz de transformar o impossível em possível (em grego), "Também sei que ele fez um esforço extraordinário para conquistar essa habilidade" (em italiano), e "Ele é mais charmoso do que qualquer outro homem que eu já conheci" (em espanhol). Então, em japonês, acrescentou: "Se entendessem o que acabei de dizer, eu não me incomodaria de passar mais um tempinho com vocês dois".

Visivelmente perplexos, ambos, de início, ficaram parados. Depois, eles se entreolharam e foram embora, claramente constrangidos.

Fumiko abriu um grande sorriso para Goro.

– Imagino que você tenha entendido tudo que eu falei – disse ela, agora em português.

Demonstrando seu acanhamento, Goro, discretamente, fez que sim.

Quando saíram pela décima vez, Goro confessou que nunca tinha namorado antes.

– Ah, então eu sou a primeira mulher com quem você está se relacionando – disse ela, feliz da vida com a confissão.

Foi a primeira vez que Fumiko confirmou que os dois estavam namorando, e Goro arregalou os olhos ao ouvir a "novidade".

Pode-se dizer que aquela noite marcou o início do romance entre os dois.

Fumiko estava adormecida havia algum tempo. De repente, a mulher de vestido fechou o livro ruidosamente e suspirou. Após tirar um lenço branco da bolsa, ela se levantou devagar e começou a caminhar em direção ao banheiro.

Como ainda dormia, Fumiko não percebeu que a mulher tinha saído da cadeira. Kazu apareceu do cômodo dos fundos. Ela ainda estava de uniforme: camisa branca, gravata-borboleta preta, colete, calça preta e avental. Enquanto limpava a mesa, chamou Fumiko.

– Senhorita. Senhorita.

– O quê? Sim?

Surpresa, Fumiko se endireitou com rapidez. Piscou os olhos e conferiu o recinto antes de finalmente perceber a mudança.

A mulher de vestido não estava mais lá.

– Ah!

– A cadeira agora está vazia. Ainda vai querer se sentar?

– Mas é claro! – exclamou Fumiko.

Levantou-se depressa e foi até a cadeira que supostamente a transportaria para o passado. Parecia uma cadeira comum, nada fora do normal. Enquanto a encarava com um desejo intenso, o coração acelerou. Finalmente, após superar todas as regras e a maldição, lá estava ela com sua passagem para o passado.

– Está bem. Agora eu quero viajar no tempo.

Fumiko respirou fundo, acalmou o coração disparado e, com cuidado, espremeu-se entre a cadeira e a mesa. Ratificou a ideia de voltar para uma semana atrás bem no instante em que suas nádegas encostaram no assento, então seu nervosismo e seu entusiasmo estavam no auge. Sentou-se com tanta força que quase quicou de volta.

– Está decidido. Quero voltar uma semana! – exclamou.

O coração ficou inchado, repleto de expectativa. Deu uma olhada no lugar. Como não havia janelas, não tinha como saber se era dia ou noite. Os ponteiros dos três velhos relógios de parede apontavam em diferentes direções e não lhe indicavam a hora real. Porém, alguma coisa precisava ter mudado. Ela deu outra olhada pelo café, desesperada, procurando algum sinal de que tinha voltado no tempo. Mas não conseguia avistar uma diferença sequer. Se tivesse voltado uma semana no tempo, Goro estaria ali – mas ele não estava em lugar algum...

– Ainda não voltei, né? – murmurou ela.

Não me diga que foi tolice crer nessa loucura de viajar no tempo.

Assim que ela começou a demonstrar sinais de que ia surtar, Kazu apareceu do seu lado com uma bandeja prateada, sobre a qual havia um bule prateado e uma xícara branca.

– Ainda não voltei – constatou bruscamente Fumiko.

Kazu estava inexpressiva como sempre.

– Tem mais uma regra – anunciou, impassível.

Droga! Tinha mais uma. Não era simplesmente se sentar na cadeira.

Fumiko estava começando a se cansar disso.

– Mais regras?! – questionou ela, sentindo-se também aliviada, pois isso significava que ainda seria possível voltar no tempo.

Kazu continuou a explicação sem mostrar o mínimo interesse pelos sentimentos de Fumiko.

– Daqui a um instante, vou servir uma xícara de café para você – disse ela enquanto punha a xícara na frente de Fumiko.

– Café? Por que café?

– Seu tempo no passado começará a partir do momento em que o café for servido… – explicou Kazu, ignorando a pergunta de Fumiko, que se tranquilizara por saber que, muito em breve, faria a tão sonhada viagem no tempo. – E você precisa voltar antes que o café esfrie.

A convicção de Fumiko desapareceu num piscar de olhos.

– Hã? Tão rápido assim?

– E a última regra, a mais importante…

Essa conversa não acaba nunca. Fumiko estava louca para começar logo.

– Tantas regras… – murmurou ela enquanto segurava a xícara a sua frente.

O recipiente não tinha nada fora do comum; era apenas uma xícara em que o café ainda não tinha sido servido. Mas ela teve a impressão de que parecia perceptivelmente mais fria do que uma porcelana normal.

– Está me ouvindo? – prosseguiu Kazu. – Quando voltar ao passado, vai precisar tomar a xícara inteira antes que o café esfrie.

– Hum, mas eu não gosto muito de café.

Kazu arregalou os olhos e parou o rosto a uns dois centímetros da ponta do nariz de Fumiko.

– Essa é a única regra que você terá que seguir de qualquer jeito – sentenciou ela a meia-voz.

– Sério?

– Se não fizer isso, algo terrível vai acontecer com você.

– O… o quê?

Fumiko ficou inquieta. Não estava esperando nada assim. Viajar no tempo significava violar as leis da natureza – e obviamente isso tinha seus riscos. Mas ela não conseguia acreditar que Kazu só estava avisando isso agora. Uma cratera tinha se aberto no trajeto final para a linha de chegada. Não que fosse amarelar – não depois de ter chegado tão longe. Ela olhou nos olhos de Kazu com apreensão.

– O quê? O que vai acontecer?

– Se não tomar o café todo antes que ele esfrie...

– Se eu não tomar o café...

– Será a sua vez de ser o fantasma sentado nessa cadeira.

Um raio irrompeu dentro da cabeça de Fumiko.

– É sério?

– A mulher que estava sentada aqui agorinha...

– Descumpriu essa regra?

– Isso. Voltou para encontrar o marido falecido. Deve ter perdido a noção do tempo. Quando finalmente percebeu, o café já havia esfriado.

– E ela se tornou um fantasma?

– Sim.

É bem mais arriscado do que eu imaginava, pensou Fumiko. Havia muitas regras irritantes. Ter conhecido um fantasma e ter sido amaldiçoada já era algo extraordinário. Mas agora os riscos eram ainda maiores.

Está bem, eu posso ir para o passado. Mas preciso voltar para cá antes que o café esfrie. Não faço a mínima ideia de quanto tempo um café quente leva para esfriar – mas não é algo que demora muito. É pelo menos o tempo que eu vou levar para tomá-lo, mesmo que o gosto seja horrível. Então não preciso me preocupar com isso. Mas digamos que eu não o tome e que eu vire um fantasma – isso é muito preocupante. Agora vamos presumir que eu não mude o presente com essa ida ao passado, por mais que eu tente. Isso não tem risco algum... provavelmente não vai causar nenhum benefício, mas também não vai causar nenhum prejuízo.

Já eu virar um fantasma, por outro lado, com certeza é um baita prejuízo.

Sentia-se hesitar, dominada por inúmeras preocupações – a mais imediata: será que o café que Kazu serviria era horrível? Ela esperava que tivesse um gosto com o qual pudesse lidar. *Mas e se for muito apimentado? E se for um café sabor wasabi? Como é que eu tomaria uma xícara inteira de algo assim?*

Ao perceber a paranoia, balançou a cabeça para tentar se livrar da onda de ansiedade que a avassalava.

– Tudo bem. Eu só preciso tomar o café antes que ele esfrie, né?

– Exato.

Fumiko tinha se decidido. Ou, mais precisamente, uma determinação obstinada havia se enraizado dentro dela.

Kazu estava parada, impassível. Fumiko conseguia imaginar que, caso lhe tivesse dito *Desculpe, não vai dar para eu fazer isso*, sua reação teria sido a mesma. Fechou os olhos rapidamente e inspirou fundo pelas narinas, como para se manter focada em sua decisão.

– Estou pronta – anunciou ela e encarou Kazu. – Pode servir o café, por favor.

Enquanto fazia sutilmente que sim, Kazu retirou o bule prateado da bandeja com a mão direita. Encarou Fumiko com recato.

– Basta se lembrar de tomar o café antes que ele esfrie – sussurrou ela.

Kazu começou a servir o café. Tinha um jeito despreocupado, mas seus movimentos fluidos e graciosos faziam Fumiko sentir que estava observando uma antiga cerimônia.

Assim que percebeu a fumacinha reluzente subindo do café que enchia a xícara, tudo ao redor da mesa começou a espiralar e se tornar indistinto do vapor rodopiante. Fumiko começou a sentir medo e fechou os olhos. A sensação de que ela própria estava reluzindo e ficando distorcida, assim como o vapor que subia, tornou-se ainda mais forte. Ela cerrou os punhos com mais firmeza. *Se isso continuar, eu não vou parar nem no passado, nem no presente; vou simplesmente desaparecer no meio da fumaça*. Enquanto tal ansiedade a engolia, pensou no momento em que conheceu Goro.

Fumiko conhecera Goro dois anos antes, na primavera. Tinha 26 anos, era três anos mais velha do que ele. Trabalhavam na mesma empresa, no mesmo local, porém para clientes diferentes. Fumiko era a diretora de projetos e se encarregava de todos os funcionários visitantes.

Nunca deixava de fazer comentários críticos, mesmo que direcionados a um superior. Chegava até a discutir com colegas mais velhos. Mas ninguém a criticava. Sempre era sincera e direta, e sua disposição para não poupar esforços no trabalho era superadmirada. Embora Goro fosse três anos mais novo do que Fumiko, dava a impressão de já estar na casa dos trinta. Para falar com franqueza, ele parecia muito mais velho do que era. No início, Fumiko se sentia como uma aprendiz em relação a Goro, e se dirigia a ele com a reverência apropriada. Além disso, apesar de ser o mais novo da equipe, Goro era o mais competente. Era um engenheiro extremamente habilidoso e compenetrado, que fazia seu trabalho em silêncio, e Fumiko logo percebeu que podia contar com ele.

O projeto que Fumiko estava liderando tinha quase chegado ao fim. No entanto, um pouco antes da data de entrega, um bug sério foi descoberto. Havia um erro ou falha no programa, e quando se trata da programação de sistemas médicos, até erros aparentemente triviais são sérios. Era impossível entregar o sistema naquele estado. Porém, encontrar a causa de um bug é como destilar e remover uma gota de tinta que caiu numa piscina olímpica. Não apenas a tarefa era enorme e intimidante, mas, para piorar, eles também não tinham tempo suficiente para realizá-la.

Como Fumiko era a diretora de projetos, a responsabilidade de satisfazer as condições para a entrega encontrava-se nas mãos dela. O deadline era dali a uma semana. Como o consenso geral dizia que seria necessário pelo menos um mês para corrigir o bug, todos se resignaram a perder o prazo. Fumiko achou que teria de se demitir. Em meio ao caos, Goro desapareceu do local de trabalho sem dizer nada, e ninguém conseguia contatá-lo. Um comentário malicioso puxou outro, e logo todos passaram a suspeitar que o bug era culpa dele. As pessoas supuseram que ele estava com tanta vergonha que não conseguia encarar os colegas.

Obviamente, não havia nada de concreto que sugerisse que o erro tinha sido dele. Mas como haveria uma grande perda relacionada ao projeto, era conveniente que alguém levasse a culpa. E como ele não estava presente, tornou-se o bode expiatório, e naturalmente Fumiko também suspeitou dele. Porém, após quatro dias sem nenhum contato, ele apareceu de repente e informou que encontrara o bug.

Goro não tinha feito a barba nem estava com um cheiro lá muito agradável, mas ninguém sequer pensou em criticá-lo por isso. Pelo seu rosto exausto, via-se que provavelmente nem tinha dormido. Enquanto todos os outros membros da equipe, inclusive Fumiko, haviam decidido que seria difícil demais e simplesmente desistido, Goro conseguira solucionar o problema. Era nada menos do que um milagre. Ao sair sem permissão e sem avisar ninguém, ele violara as regras básicas a que todos os funcionários da empresa estavam sujeitos. Porém, demonstrara que estava mais comprometido com o trabalho do que os demais e se saíra maravilhosamente bem como programador em uma questão que ninguém tinha sido capaz de resolver.

Após Fumiko expressar sua sincera gratidão e se desculpar por pensar, mesmo que por um instante, que o erro tinha sido dele, Goro simplesmente sorriu enquanto ela abaixava a cabeça.

– Tudo bem, então talvez você possa me convidar para um café, não? – sugeriu ele.

Foi o momento em que Fumiko se apaixonou.

Depois da entrega bem-sucedida do sistema, eles foram transferidos para novos clientes, e ela quase não o encontrava mais. Contudo, Fumiko era uma mulher que gostava de assumir as rédeas. Sempre que tinha tempo, ela o levava para locais diferentes, sob o pretexto de convidá-lo para um café.

Goro tinha uma abordagem obsessiva em relação ao trabalho. Quando ele começava a trabalhar por um objetivo, não enxergava mais nada. Fumiko descobriu que a sede da TIP-G se localizava nos Estados Unidos quando conheceu a casa dele. Ele falava com tanto entusiasmo sobre trabalhar para a TIP-G que ela se preocupou. *Quando surgir a oportunidade, o que ele vai escolher: o sonho ou eu? Não devo pensar assim, nem tem comparação. Mas caramba…*

Então, pouco a pouco, ela percebeu com mais clareza o quanto perdê-lo seria devastador. Fumiko não conseguia mais avaliar o que Goro sentia por ela. O tempo passou, e, na primavera anterior, ele finalmente recebeu um convite para trabalhar na TIP-G. O sonho dele tornara-se realidade. A ansiedade de Fumiko era justificável. Goro escolheria ir para os Estados Unidos. Escolheria seu sonho. E ela descobrira isso uma semana antes, ali no café. Agora, ela abriu os olhos, sentindo-se desorientada, como se estivesse acordando de um sonho.

A sensação de que era um espírito, reluzindo e rodopiando como o vapor, passou, e ela começou a ter consciência dos seus membros outra vez. Em pânico, tocou no próprio corpo e no próprio rosto para garantir que tinha aparecido como ela mesma. Ao recobrar os sentidos, viu um homem a sua frente, observando seu estranho comportamento, perplexo.

Era Goro, a não ser que ela estivesse enganada. Goro, que deveria estar nos Estados Unidos, estava bem ali na sua frente. Fumiko realmente voltara para o passado. Entendia a confusão no rosto dele. Não havia dúvida de que ela voltara para uma semana atrás. O interior do café encontrava-se exatamente como ela lembrava.

O homem chamado Fusagi continuava com a revista aberta sobre a mesa mais próxima da porta. Hirai estava sentada ao balcão, e Kazu também se fazia presente. E na sua frente Goro, na mesma mesa onde os dois tinham se acomodado. Só havia uma coisa errada – o lugar em que Fumiko estava sentada.

Uma semana atrás, ela havia se sentado na frente de Goro. Agora, contudo, estava na cadeira da mulher de vestido. Ainda de frente para Goro, mas em outra mesa. *Ele está tão distante.* Seu olhar confuso era totalmente compreensível.

Porém, quer aquilo fosse natural ou não, ela não podia sair daquele lugar. Era uma das regras. *Mas e se ele perguntar por que estou sentada aqui? O que devo dizer?* Fumiko engoliu em seco ao pensar nisso.

– Nossa, já está tão tarde assim? Sinto muito, mas preciso ir embora – murmurou ele.

Goro dava a impressão de estar perplexo, contudo, apesar de se encontrarem estranhamente afastados um do outro, ele disse as mesmas palavras que ela escutara uma semana antes. *Deve ser uma regra implícita sobre a viagem no tempo*, refletiu.

– Ah, tudo bem. Não tem problema. Você tem pouco tempo, né? Eu também não tenho muito.

– Como assim?

– Desculpe.

Eles não estavam se entendendo, e a conversa não ia chegar a lugar algum. Apesar de conhecer o momento para o qual tinha voltado, Fumiko, assim como Goro, ainda estava bem confusa – afinal, era a primeira vez que ela voltava ao passado.

Para se recompor, Fumiko deu um gole no café enquanto erguia o olhar para observar a expressão de Goro.

Ah, que droga! O café já está morno! Vai esfriar num instante!

Ficou desanimada. Naquela temperatura, já podia tomá-lo de um gole só. Era um contratempo inesperado. Franziu a testa para Kazu; odiava sua expressão impassível que não dava trégua. Mas isso não era tudo...

– Argh... que coisa amarga.

O gosto era ainda mais amargo do que ela esperava. Era o café mais amargo que ela já provara. Goro pareceu ter ficado espantado ao ouvir as estranhas palavras de Fumiko.

Esfregando a sobrancelha direita, Goro olhou para o seu relógio. Estava preocupado com a hora. Fumiko compreendia. Ela também estava com pressa.

– Hum... tenho algo importante a dizer – começou ela com rapidez.

Fumiko pegou o açúcar do pote a sua frente e encheu a xícara. Então, após acrescentar bastante leite, fez a colher retinir na xícara com suas vigorosas mexidas.

– O que é? – perguntou Goro, franzindo a testa.

Fumiko não sabia se ele estava franzindo a testa por causa do excesso de açúcar que ela pôs no café ou por não querer conversar sobre nada importante naquele momento.

– Bem... é... eu queria deixar tudo às claras.

Goro checou novamente as horas.

– Só um segundinho. – Fumiko deu um gole no café que tinha adoçado. Depois fez que sim, satisfeita. Antes de conhecer Goro, ela não tomava café. Convidá-lo para um café foi o pretexto que fizera os dois saírem juntos. Ao observar curiosamente Fumiko, que odiava café, pôr freneticamente uma imensa quantidade de açúcar e leite na xícara, Goro abriu um sorriso sarcástico.

– Ei, a situação é séria e você fica aí rindo só porque eu estou bebendo o meu café?

– Não estou rindo.

– Mas é claro que está! Nem tem como negar, dá para ver estampado no seu rosto.

Fumiko se arrependeu de interromper o ritmo da conversa. Ela se dera ao trabalho de voltar ao passado, e agora as coisas iam tomando o mesmo rumo da semana anterior. Ele estava se afastando devido às palavras infantis dela.

Goro se levantou, parecendo irritado. Chamou Kazu, que estava atrás do balcão.

– Com licença… traz a continha por favor.

Ele estendeu o braço para pegar a conta.

Fumiko sabia que, se não fizesse nada, Goro pagaria e iria embora.

– Espere!

– Tudo bem, é melhor encerrar as coisas assim.

– Não foi isso que eu vim dizer.

– O que foi então?

(Não vá.)

– Por que não me contou antes?

(Não quero que você vá.)

– Bem, é que…

– Sei o quanto seu trabalho importa para você. Não estou dizendo que vou me incomodar se você for para os Estados Unidos. Não quero ser um empecilho.

(Achei que íamos ficar juntos para sempre.)

– Mas pelo menos…

(Só eu que planejei isso?)

– Queria que a gente conversasse sobre o assunto. Sabe, é revoltante você simplesmente decidir sem nem discutir isso comigo e…

(Eu realmente… de verdade…)

– É que… bem, sabe como é…

(… amava você.)

– Fiquei me sentindo desprezada.

– …

– O que eu gostaria de dizer era que…

– …

(Não que vá mudar alguma coisa…)

– Deixa pra lá… era só isso mesmo que eu queria dizer.

Fumiko pretendia falar com franqueza – afinal, o presente não mudaria. Mas acabou não conseguindo. Sentia que dizer o que queria seria admitir sua derrota. Ela teria se odiado depois se tivesse dito algo como, *O que vai escolher – o trabalho ou eu?* Antes de conhecer Goro, ela sempre pusera o trabalho em primeiro lugar. Era a última coisa que ela queria dizer. Também não queria se tornar um simulacro de mulher, especialmente com um namorado três anos mais novo – Fumiko tinha seu orgulho. Talvez também estivesse com inveja por ver que a carreira dele havia superado a dela. Então não havia se expressado com sinceridade. De qualquer modo… era tarde demais.

– Então tudo bem, vá… que seja… até parece que alguma coisa vai te impedir de ir para os Estados Unidos. – Depois de dizer isso, Fumiko tomou o resto do café. – Nossa.

Assim que a xícara ficou vazia, Fumiko voltou a ficar tonta. Foi engolida mais uma vez por um mundo oscilante e tremeluzente.

Ela começou a refletir. *Por que foi que eu voltei mesmo?*

– Nunca achei que eu fosse o homem certo para você.

Ela não entendeu por que Goro resolveu dizer isso agora.

– Quando você me convidou para um café – prosseguiu ele –, eu fiquei repetindo para mim mesmo que não podia me apaixonar…

– O quê?

– Afinal… – Ele passou os dedos na franja que tinha sido penteada para cobrir o lado direito da testa. Acabou deixando à mostra a grande cicatriz de queimadura que ia da sobrancelha à orelha. – Antes de te conhecer, eu sempre acreditei que as mulheres me achavam repulsivo e eu nem conseguia me aproximar delas.

– Mas… Eu…

– Mesmo depois que a gente começou a namorar.

– *Isso nunca me incomodou!* – gritou Fumiko, mas ela já havia se unido ao vapor, e suas palavras não o alcançaram.

– Achei que era apenas uma questão de tempo antes que você passasse a gostar de outro cara… mais bonito.

(Jamais… como pode pensar isso!)

– Sempre acreditei que…

(Jamais!)

Fumiko ficou chocada ao ouvi-lo confessar essa bobagem pela primeira vez. No entanto, agora que Goro tinha dito, parecia fazer todo sentido. Quanto mais ela o amava e pensava em casamento, mais sentia uma espécie de barreira invisível.

Quando ela perguntava se ele a amava, ele fazia que sim, mas nunca dizia as palavras *eu te amo*. Quando os dois andavam juntos na rua, às vezes Goro olhava para baixo, como que se desculpando, e acariciava a sobrancelha direita. Goro também percebia que os homens sempre a paqueravam.

(Não é possível que ele tenha se prendido a tamanha besteira.)

Porém, enquanto refletia sobre isso, Fumiko se arrependeu do próprio pensamento. Embora para ela fosse uma bobagem, para ele era um arraigado e doloroso complexo.

(Eu não fazia ideia de que ele se sentia assim.)

A consciência de Fumiko já estava esvaecendo. Seu corpo estava sendo envolvido por uma sensação de tontura, de tremor. Goro pegara a conta e estava se dirigindo à caixa registradora com a bolsa na mão.

(Nada no presente vai mudar. E isso é certo. Ele fez a escolha correta. Alcançar o próprio sonho vale muito mais para ele do que eu. Acho que preciso deixar Goro para trás. Vou deixá-lo partir e desejar-lhe sucesso de todo o meu coração.)

Fumiko já estava fechando seus olhos raiados de sangue quando:

– Três anos... – disse Goro de costas para ela. – Por favor, espere três anos. Então eu volto, prometo.

Era uma voz baixinha, mas o café era pequeno. Apesar de agora ser puro vapor, Fumiko conseguiu escutar a voz de Goro com clareza.

– Quando eu voltar, a gente...

Goro tocou na sobrancelha direita por força do hábito e, de costas para Fumiko, disse mais alguma coisa, porém as palavras já estavam abafadas demais para que ela pudesse escutá-las.

– Hã? O quê?

Então a consciência de Fumiko daquele local tornou-se um vapor reluzente. Enquanto se esvaía, Fumiko viu o rosto de Goro olhando para trás antes de sair do café. Ela viu seu rosto por uma mera fração de segundo, e ele estava com um maravilhoso sorriso, como aquele de quando sugeriu "Talvez você possa me convidar para um café, não?"

Ao recobrar a consciência, Fumiko estava sentada na cadeira, sozinha no café. Parecia que tinha acabado de ter um sonho, mas a xícara na sua frente estava vazia. Ainda havia um gosto doce em sua boca.

Então, a mulher de vestido voltou do banheiro. Ao ver Fumiko na sua cadeira, aproximou-se em silêncio.

– Sai daí – disse ela com uma voz grave e sinistramente poderosa.

– Eu... me desculpe – pediu Fumiko, levantando-se da cadeira.

A sensação onírica ainda não se dissipara. Será que ela realmente tinha voltado ao passado?

Voltar no tempo não mudava o presente, então era normal que tudo parecesse igual. Da cozinha, saía um cheiro de café.

Ao que Fumiko se virou para olhar, Kazu apareceu com uma xícara de café fresquinho sobre a bandeja.

A garçonete passou por ela como se nada tivesse acontecido. Ao chegar à mesa, tirou a xícara usada de Fumiko e pôs o café novo na frente da mulher de vestido. A mulher assentiu em agradecimento e voltou a ler seu livro.

Ao retornar para o balcão, Kazu perguntou casualmente:

– Como foi?

Fumiko, ao ouvir tais palavras, finalmente teve a certeza de que tinha viajado no tempo. Ela voltara para aquele dia – uma semana atrás. Mas se ela tivesse…

– Estava pensando aqui…

– Sim?

– O presente não muda, né?

– Isso.

– Mas e as coisas que acontecem depois?

– Não sei se entendi.

– A partir de agora… – Fumiko estava escolhendo suas palavras. – A partir de agora… e o futuro?

Kazu olhou diretamente para Fumiko.

– Bem, como o futuro ainda não aconteceu, creio que depende de você… – disse ela, mostrando um sorriso pela primeira vez.

Os olhos de Fumiko brilharam.

Kazu parou na frente da caixa registradora.

– O café, o serviço, mais a taxa adicional devido ao horário… deu 420 ienes, por favor – disse a meia-voz.

Fumiko fez que sim e se aproximou da caixa registradora. Sentia-se leve. Após pagar, olhou nos olhos de Kazu.

– Obrigada – agradeceu e abaixou a cabeça.

Depois, ao dar uma boa olhada ao redor do estabelecimento, ela abaixou a cabeça outra vez, não para ninguém em particular – era mais para o próprio café. Em seguida, foi embora, despreocupada.

Kazu começou a guardar o dinheiro na caixa registradora com sua expressão impassível de sempre, como se nada fora do normal tivesse acontecido.

A mulher de vestido abriu um sorrisinho enquanto fechava silenciosamente seu livro, um romance intitulado *Os namorados*.

MARIDO E MULHER

O café não tem ar-condicionado. Foi inaugurado em 1874, há quase 150 anos. Na época, as pessoas ainda usavam candeeiros na iluminação. Embora o local tenha passado por algumas pequenas reformas ao longo do tempo, hoje em dia o interior é praticamente idêntico ao projeto original. Quando foi aberto, a decoração deve ter sido considerada muito *avant-garde*. A data comumente aceita para o surgimento das cafeterias modernas no Japão é cerca de 1888 – catorze anos depois.

O café chegou ao Japão no período Edo, no fim do século XVII. No início, as papilas gustativas japonesas não aprovaram muito a bebida, e certamente não se pensava no café como algo que se toma por prazer – o que é compreensível, pois era uma água preta e amarga.

Com o advento da eletricidade, a casa trocou os candeeiros por lâmpadas, mas a instalação de um ar-condicionado teria destruído o charme do seu interior. Então, até hoje, o café não tem ar-condicionado.

Porém, todos os anos o verão chega. Quando as temperaturas alcançam 30 graus no meio do dia, espera-se encontrar um calor sufocante dentro de um estabelecimento comercial não climatizado, ainda mais quando ele é subterrâneo. O café tem um ventilador de teto com pás grandes, que, por ser elétrico, deve ter sido instalado bem depois. No entanto, um ventilador de teto como aquele não gera uma brisa forte e serve apenas para fazer o ar circular.

A temperatura máxima já registrada no Japão foi de 41 graus em Ekawasaki, na província de Kochi. É difícil imaginar um ventilador de teto tendo alguma utilidade num calor desses. Porém, mesmo no auge do verão, o café está sempre agradavelmente fresco. Quem o mantém assim? Além dos funcionários, ninguém sabe – nem jamais saberá.

Era uma tarde de verão. Ainda o início da estação, mas, como se fosse pleno verão, a temperatura externa estava altíssima. Dentro do café, uma jovem escrevia sentada ao balcão. Ao lado dela, sobre a superfície, havia um café gelado diluído pelo gelo derretido. A mulher estava vestida para a estação: uma camiseta branca com babados, uma minissaia cinza e justa e sandálias de tiras. Estava sentada com as costas eretas, e sua caneta redigia rapidamente no papel cor de cerejeira rosa.

Atrás do balcão, uma mulher esguia, de pele clara, observava com os olhos repletos de um brilho juvenil. Era Kei Tokita, que estava curiosa a respeito do conteúdo da carta. De tempos em tempos, ela dava espiadelas, com uma expressão de fascínio pueril.

Além da mulher escrevendo a carta no balcão, os outros clientes do café eram a mulher de vestido branco sentada *naquela* cadeira e o homem chamado Fusagi, sentado à mesa mais próxima da entrada. Mais uma vez, ele estava com a revista aberta a sua frente.

A mulher escrevendo a carta inspirou fundo. Kei fez o mesmo.

– Desculpe por ficar tanto tempo aqui – pediu, guardando a carta, finalizada, num envelope.

– Imagina – disse Kei, olhando rapidamente para os próprios pés.

– Hum... você acha que poderia entregar isso para a minha irmã?

A mulher estava segurando o envelope com as duas mãos e o estendia para Kei educadamente. Seu nome era Kumi Hirai. Era a irmã mais nova de Yaeko Hirai, uma frequentadora do café.

– Ah. Bem, pelo que eu sei da sua irmã...

Kei pensou em falar algo mais e mordeu o lábio.

Kumi inclinou um pouco a cabeça e encarou Kei com um olhar questionador.

Mas Kei simplesmente sorriu como se o que fosse dizer não tivesse a menor relevância.

– Pode deixar... eu entrego – respondeu Kei, olhando para a carta que Kumi segurava.

Kumi hesitou um pouco.

– Eu sei que talvez ela nem vá ler. Mas se você puder... – falou, abaixando a cabeça.

Kei respondeu com educação:

– É claro que eu posso – disse ela, agindo como se Kumi tivesse lhe confiado algo de extrema importância.

Kei então recebeu a carta com ambas as mãos e abaixou a cabeça num gesto de cortesia enquanto Kumi se aproximava da caixa registradora.

– Quanto deu? – perguntou Kumi, já entregando uma nota para Kei.

Kei pôs a carta no balcão com cuidado. Em seguida, ela pegou a conta e começou a apertar as teclas da registradora.

A caixa registradora do café certamente devia ser uma das mais velhas a ainda ser usada – mas não estava no estabelecimento desde o início. Suas teclas pareciam bastante as de uma máquina de escrever, e chegara ao café no início do período Showa, por volta de 1926. Era uma caixa de estrutura muito robusta, projetada para impedir roubos. Somente sua carcaça pesava cerca de 40 kg. Ela fazia um ruidoso *clang* sempre que alguma tecla era pressionada.

– Café com torrada... arroz com curry... iogurte com frutas e granola...

Clang clang clang clang... clang clang. Kei digitava ritmicamente os valores de cada item.

– Uma vaca-preta... uma torrada de pizza...

Kumi realmente parecia ter comido bastante. De fato, nem cabia tudo na mesma conta. Kei começou a digitar os valores da segunda conta.

– Arroz pilaf com curry... pudim de banana... porco empanado ao curry...

Normalmente, não era necessário ler item por item, mas Kei não se incomodava. Enquanto ela apertava os valores, parecia uma criança entretendo-se alegremente com um brinquedo.

– Depois você comeu o nhoque com gorgonzola e o macarrão com frango ao creme de shissô.

– Eu meti o pé na jaca, né? – disse Kumi um tanto alto, talvez um pouco envergonhada por escutar todos aqueles itens sendo lidos.

Ela provavelmente queria dizer *Por favor, não precisa ler tudo em voz alta.*

– Com certeza.

É claro que não foi Kei que disse isso – foi Fusagi. Após escutar a conta inteira, ele murmurou a intromissão em voz baixa enquanto continuava lendo sua revista.

Kei o ignorou, mas as orelhas de Kumi ficaram rosadas.

– Quanto deu? – perguntou Kumi, mas Kei ainda não tinha terminado.

– Bem, vejamos aqui... depois teve o misto quente... o onigiri grelhado... a segunda porção de arroz com curry... e... hum... o café gelado... então o total deu... 10,230 ienes.

Kei sorriu, com seus olhos grandes, redondos e brilhantes expressando apenas bondade.

– Está bem, toma aqui – disse Kumi e tirou com rapidez duas notas da bolsa.

Kei manipulou as notas com eficiência.

– Recebendo 11 mil ienes – disse ela, e mais uma vez apertou as teclas da registradora.

Kumi aguardava com a cabeça abaixada.

Cha-ching... a gaveta se abriu com uma sacudida e Kei pegou o troco.

– Aqui está o troco de 770 ienes.

Sorrindo mais uma vez, com os olhos redondos brilhando, Kei entregou o troco para Kumi.

Kumi abaixou a cabeça educadamente.

– Obrigada. Estava delicioso.

Talvez por estar encabulada após ouvir tudo o que tinha consumido, agora Kumi parecia querer ir embora logo. Porém, quando ela já ia se afastando, Kei chamou-a.

– Hum... Kumi.

Kumi parou bruscamente e olhou para ela.

– E sua irmã... – começou Kei e olhou para os próprios pés. – Quer que eu diga alguma coisa para ela? – Ergueu as duas mãos enquanto perguntava.

– Não, não precisa. Eu escrevi na carta – explicou Kumi, sem hesitar.

– Ah, imagino que sim – devolveu Kei, franzindo a testa como que decepcionada.

Quiçá comovida por Kei ter demonstrado preocupação, após pensar por um instante, Kumi sorriu e disse:

– Talvez você possa dizer uma coisa...

Kei se alegrou de imediato.

– Diga que os pais da gente não estão mais com raiva.

– Os pais de vocês não estão mais com raiva – repetiu Kei.

– Sim... diga isso a ela, por favor.

Mais uma vez, os olhos de Kei estavam redondos e brilhantes. Ela fez que sim duas vezes.

– Pode deixar, eu digo – informou com alegria.

Kumi deu uma olhada no café e mais uma vez abaixou a cabeça educadamente para Kei antes de ir embora.

DING-DONG

Kei foi até a entrada para conferir que Kumi tinha mesmo ido embora e, após dar uma rápida pirueta, começou a conversar com o balcão vazio.

– Você brigou com seus pais?

Então, uma voz rouca respondeu de baixo do balcão supostamente vazio.

– Eles me rejeitaram – contou Hirai, saindo de baixo dele.

– Mas você a ouviu, não foi?

– Ouvi o quê?

– Que seus pais não estão mais zangados.

– Só acredito vendo…

Depois de passar tanto tempo agachada debaixo do balcão, Hirai estava encurvada como uma velhinha. Ela saiu mancando pelo café. Como sempre, estava com os rolos de cabelo. Vestia uma blusa de oncinha, uma saia rosa justa e chinelos de praia.

– Sua irmã parece gente boa.

Hirai franziu um pouco o rosto.

– Se a pessoa não está no meu lugar, ela é mesmo.

Hirai se sentou no mesmo banco que Kumi ocupara. Tirou um cigarro da bolsa de oncinha e o acendeu. A fumaça subiu pelos ares. Enquanto a acompanhava com o olhar, havia no rosto de Hirai uma vulnerabilidade rara. Parecia que seus sentimentos tinham viajado para bem longe.

Kei deu a volta em Hirai para assumir seu devido lugar atrás do balcão.

– Quer conversar sobre isso? – perguntou ela.

Hirai soprou mais fumaça.

– Ela está ressentida comigo.

– Como assim, ela está ressentida com você? – perguntou Kei.

– Ela não queria herdar…

– Hã?

Kei inclinou a cabeça, sem entender do que Hirai estava falando.

– O hotel…

O empreendimento que a família de Hirai administrava era um famoso hotel de luxo em Sendai, na província de Miyagi. Os pais queriam que Hirai assumisse o negócio, mas ela se desentendera com eles havia treze anos, então ficou decidido que Kumi seria a sucessora. Os pais estavam bem de saúde, mas envelhecendo e, como gerente, Kumi já havia assumido muitas das responsabilidades do hotel. Desde que Kumi aceitara o cargo, ela ia a Tóquio com regularidade para visitar Hirai e tentar persuadi-la a voltar para casa.

– Eu sempre digo que não quero voltar. Mas ela não para de insistir. – Hirai dobrou os dedos das mãos um por um, como se estivesse contando as vezes. – Dizer que ela é persistente seria um eufemismo.

– Mas não precisa se esconder dela.

– Eu não quero ver.

– Ver o quê?

– O rosto dela.

Kei inclinou a cabeça, curiosa.

– O rosto dela revela tudo. Por causa do que eu fiz, agora tem que administrar um hotel que não quer administrar. Ela quer que eu volte para poder se ver livre – contou Hirai.

– Não entendo como o rosto dela poderia demonstrar tanto – rebateu Kei, duvidando.

Hirai conhecia Kei o bastante para saber que ela de fato estava tendo dificuldades para imaginar a coisa toda. Sua mente muito literal às vezes não compreendia o cerne da questão.

– O que eu quero dizer é que fica parecendo que ela está me pressionando, só isso – respondeu Hirai.

Franzindo a testa, ela soprou mais fumaça.

Kei ficou parada, refletindo, e inclinou a cabeça para o lado várias vezes.

– Meu Deus! Já é tão tarde assim? Caramba! – exclamou Hirai dramaticamente. Então, apagou o cigarro no cinzeiro com rapidez. – Eu preciso abrir o bar. – Ela se levantou e se alongou cautelosamente a partir dos quadris. – Depois de três horas agachada daquele jeito, as costas dão uma reclamada.

Hirai deu uma cutucada na lombar e depois se dirigiu com urgência para a entrada, com seus chinelos de praia fazendo barulho.

– Espere! A carta.

Kei pegou o envelope que Kumi lhe dera e tentou entregá-lo a Hirai.

– Pode jogar fora! – exclamou Hirai sem olhar, acenando a mão direita com desdém.

– Não vai nem ler?

– Dá pra imaginar o que tem escrito. "É muito difícil ter que fazer tudo sozinha. Por favor, volte para casa. Não tem problema você só aprender as coisas lá na hora." Esse tipo de coisa, sabe.

Enquanto falava, Hirai tirou da sua bolsa de oncinha o tal porta-moedas do tamanho de um minidicionário. Deixou o dinheiro do café no balcão.

– Até mais – despediu-se e saiu do café, claramente desesperada para ir embora.

DING-DONG

– Não posso simplesmente jogar fora. – Kei encarava a carta de Kumi falando sozinha, e seu rosto revelava o dilema.

DING-DONG

Enquanto Kei continuava parada, a campainha soou novamente e Kazu Tokita entrou no café, tomando o lugar de Hirai.

Kazu tinha saído com Nagare, dono do café e seu primo, para comprar mantimentos. Retornou com várias sacolas nas mãos. A chave do carro balançava com as demais chaves na argola pendurada em seu dedo. Suas roupas eram casuais, camiseta e jeans. Era um grande contraste em relação à gravata-borboleta e ao avental que ela usava durante o expediente.

– Bem-vinda de volta – disse Kei sorrindo, ainda segurando o envelope.

– Desculpe a demora.

– Nada, tranquilo. Estava bem calmo por aqui.

– Vou me trocar agorinha.

O rosto de Kazu sempre ficava mais expressivo antes de pôr a gravata-borboleta. Ela mostrou a língua com descontração e foi para o cômodo dos fundos.

Kei continuava segurando o envelope.

– Cadê o tal do meu marido, hein? – perguntou ela para o cômodo dos fundos, mas olhando para a entrada.

Kazu e Nagare tinham o hábito de ir às compras juntos. Não porque havia muito o que comprar, mas porque Nagare tinha certa dificuldade para fazer as compras. Como proprietário, ele desejava tanto comprar o melhor que, muitas vezes, estourava o orçamento. A tarefa de Kazu era acompanhá-lo e garantir que ele não faria isso. Enquanto estavam fora, Kei cuidava sozinha do café. Às vezes, quando Nagare não conseguia encontrar os ingredientes que queria, ficava de mau humor e saía para beber.

– Ele disse que deve demorar um pouco para voltar – avisou Kazu.

– Ah, aposto que saiu pra beber de novo.

Kazu pôs a cabeça para fora.

– Pode deixar que eu assumo sozinha – disse ela em tom de *me desculpe*.

– Arrrh! Aquele homem... não dá pra acreditar! – exclamou Kei, inflando as bochechas.

Ela se recolheu ao cômodo dos fundos, ainda segurando a carta. As únicas pessoas que restavam no café eram a mulher de vestido, lendo seu romance em silêncio, e Fusagi. Embora fosse verão, ambos tomavam café quente. Havia dois motivos: primeiro, os refis do café quente eram gratuitos, e segundo, o fato de o café ser quente não incomodava esses dois clientes, afinal, lá dentro, como sempre, estava fresco. Logo Kazu reapareceu com seu uniforme de garçonete.

O verão tinha acabado de começar, e hoje já fazia mais de 30 graus na rua. Ela caminhara menos de 800 metros do estacionamento até o café, e ainda assim chegou com o rosto todo suado. Kazu bufou enquanto enxugava a testa com um lenço.

– Hum, por favor – chamou Fusagi, que levantara a cabeça da leitura da revista.

– Sim, pois não – falou Kazu, como se algo a houvesse surpreendido.

– Eu queria um refil, por favor.

– Ah, com certeza – respondeu ela, deixando de lado o seu jeito habitual mais frio e adotando o tom casual que usara enquanto ainda estava de camiseta.

Fusagi não tirou os olhos de Kazu enquanto ela caminhava em direção à cozinha. Sempre que ia ao café, ele se sentava na mesma cadeira. Se houvesse outro cliente sentado nela, ele ia embora em vez de se acomodar em outro lugar. Fusagi não ia todos os dias, mas costumava aparecer duas ou três vezes na semana em algum momento após o almoço. Abria a revista de viagem e a folheava do início ao fim, fazendo anotações de tempos em tempos. Costumava ficar o tempo necessário para ler a revista inteira. A única coisa que pedia era café quente.

O café servido era feito de grãos da Etiópia, que têm um aroma único. Porém, nem todos gostavam – apesar de ser deliciosamente aromático, alguns achavam seu amargor frutado e suas notas complexas um pouco fortes demais. Por insistência de Nagare, o estabelecimento só servia moca. Fusagi gostava do café e parecia achar o lugar um espaço confortável para ler sua revista com tranquilidade. Kazu voltou da cozinha segurando a jarra de café para servir o refil de Fusagi.

Após parar perto da mesa dele, Kazu ergueu a xícara pelo pires. Fusagi costumava prosseguir sua leitura enquanto a esperava servir o refil, mas hoje foi diferente: ele a encarou com uma expressão esquisita.

Ao perceber que Fusagi estava se comportando de um jeito estranho, ela achou que ele devia estar querendo outra coisa além do café.

– O senhor deseja mais alguma coisa? – perguntou Kazu com um sorriso.

Ele sorriu de volta, educadamente e parecendo um pouco encabulado.

– Você é nova aqui? – perguntou ele.

A expressão dela não mudou enquanto colocava a xícara na frente de Fusagi.

– Hã… hum…

Foi tudo que ela respondeu.

– É mesmo, é? – disse ele um pouco acanhado.

Fusagi parecia contente de ter mostrado à garçonete que era freguês dali. Porém, como se satisfez com isso, abaixou a cabeça de imediato e retornou para a revista.

Kazu voltou ao serviço com uma expressão impassível, como se não houvesse nada fora do comum. Porém, sem mais clientes, ela não tinha muito o que fazer. Seu único dever no momento era enxugar com um pano alguns copos e pratos lavados e guardá-los na prateleira. Enquanto trabalhava, começou a conversar com Fusagi. Como o café era pequeno e intimista, era bem fácil conversar a distância sem precisar falar alto.

– O senhor vem muito aqui?

Ele ergueu a cabeça.

– Venho, sim.

Ela prosseguiu:

– Conhece a história do lugar? Sabe da lenda urbana?

– Sim, sei tudo a respeito dela.

– Inclusive sobre *aquela* cadeira ali?

– Sim.

– Então o senhor é um dos clientes que quer voltar no tempo?

– Sou, sim – respondeu ele sem hesitar.

Ela deixou as mãos pararem por um breve instante.

– O que planeja fazer se voltar ao passado?

Contudo, ao perceber que a pergunta era invasiva demais e que não era algo que normalmente perguntaria, Kazu voltou atrás.

– Foi falta de educação minha perguntar isso. Perdão.

Então, abaixou a cabeça e voltou a enxugar, evitando o olhar dele.

Percebendo que Kazu ficara sem graça, Fusagi levantou em silêncio sua pasta com zíper. De dentro dela, tirou um envelope de papel pardo. Os quatro cantos estavam amassados, como se ele o carregasse havia bastante tempo. Não tinha endereço no envelope, mas parecia uma correspondência.

Hesitante, ele ergueu o envelope, levando-o para a frente do peito para que ela o visse.

– O que é isso? – perguntou Kazu, mais uma vez parando o que estava fazendo.

– Para a minha esposa – murmurou Fusagi em voz baixa. – É para a minha esposa.

– É uma carta?

– Sim.

– Para a sua esposa?

– Isso, eu nunca consegui entregá-la a ela.

– Então quer voltar para o dia em que ia entregá-la?

– Exatamente – respondeu ele, mais uma vez sem titubear.

– E onde está sua esposa agora? – perguntou ela.

Dessa vez, ao invés de dar uma resposta direta, Fusagi parou, criando um silêncio constrangedor.

– Hum...

Ela o encarou, aguardando a resposta.

– Não sei – disse ele com uma voz que mal se escutava enquanto começava a coçar a cabeça.

Depois de admitir isso, sua expressão ficou mais sisuda.

Kazu não respondeu nada.

Em seguida, como que dando uma desculpa, ele disse:

– Mas eu de fato tinha uma esposa. – E então acrescentou depressa: – O nome dela era... – Fusagi começou a tamborilar na cabeça. – Hum... que esquisito. – Ele inclinou o pescoço. – Como era o nome dela mesmo? – disse e ficou em silêncio outra vez.

Em algum instante nesse meio-tempo, Kei tinha voltado do cômodo dos fundos. Seu rosto parecia exaurido, talvez por ter acabado de testemunhar a interação entre Kazu e Fusagi.

– Puxa, que esquisito. Desculpe – pediu Fusagi, forçando um sorriso constrangido.

No rosto de Kazu havia uma mistura sutil de emoções – não era sua expressão fria de sempre, mas ela também não estava demonstrando muita empatia.

– Não se preocupe, está tudo bem... – disse ela.

Kazu olhou para a entrada em silêncio.

– Ah! – exclamou com um suspiro ao ver Kohtake parada na porta.

Kohtake era enfermeira num hospital próximo. Devia estar a caminho de casa, pois, em vez do uniforme de enfermeira, vestia uma blusa verde-oliva e calça capri azul-marinho. Estava com uma bolsa de ombro e enxugava o suor da testa com um lenço lilás. Kohtake cumprimentou protocolarmente Kei e Kazu atrás do balcão antes de se aproximar da mesa de Fusagi.

– Olá, Fusagi. Estou vendo que veio para cá de novo hoje – disse ela.

Ao escutar seu nome, ele olhou para Kohtake, confuso, antes de cobrir os olhos e abaixar a cabeça em silêncio.

Kohtake notou que ele estava com o humor diferente do normal. Imaginou que talvez não estivesse se sentindo bem.

– Está tudo bem? – perguntou ela com delicadeza.

Fusagi ergueu a cabeça e olhou diretamente para Kohtake.

– Perdão, mas nós nos conhecemos? – perguntou ele como quem pede desculpas.

O sorriso de Kohtake desapareceu. Em meio a um silêncio cortante, o lenço lilás que ela acabara de usar para enxugar a testa caiu no chão.

Fusagi estava na fase inicial do mal de Alzheimer. A doença provoca um rápido esgotamento das células nervosas do cérebro. O cérebro se atrofia patologicamente, causando perda de lucidez e mudanças de personalidade. Um dos sintomas mais marcantes da fase inicial é como a deterioração da função cerebral se mostra tão esporádica. A pessoa esquece algumas coisas, mas recorda outras. No caso de Fusagi, suas lembranças estavam desaparecendo aos poucos, começando pelas mais recentes. Enquanto isso, sua personalidade, outrora difícil de agradar, abrandava-se paulatinamente.

Naquele instante, lembrava que tinha uma esposa, mas não que Kohtake, em pé bem na sua frente, era a *sua* esposa.

– Nós… eu acho que não – respondeu Kohtake a meia-voz enquanto dava um passo para trás, depois dois.

Kazu encarava Kohtake enquanto Kei estava com o rosto pálido, virado para o chão. Kohtake se virou devagar, se aproximou do banco ao balcão que ficava mais distante de Fusagi e se sentou.

Foi após se sentar que ela percebeu que seu lenço havia caído. Decidiu ignorar o acontecido e fingir que não era seu. Mas Fusagi percebeu o lenço, que caíra aos seus pés, e o pegou. Ele o encarou por um instante, ficou de pé e se aproximou de onde Kohtake estava sentada.

– Peço desculpa. Eu ando esquecendo tantas coisas recentemente… – disse ele, abaixando a cabeça.

Kohtake não o olhou.

– Tudo bem – respondeu ela, pegando o lenço com a mão trêmula.

Fusagi abaixou a cabeça novamente e, constrangido, voltou para a sua cadeira. Sentou-se, mas não conseguiu relaxar. Após virar várias páginas da revista, parou e coçou a cabeça. Alguns instantes depois, ele pegou o café e deu um gole. A xícara tinha acabado de ser enchida, mas:

– O maldito café já está frio – murmurou ele.

– Quer outro refil? – perguntou Kazu.

No entanto, ele se levantou com pressa.

– Vou embora – disse abruptamente, fechando a revista e guardando suas coisas.

Kohtake continuou encarando o chão com as mãos no colo, apertando o lenço com firmeza.

Fusagi foi até a caixa registradora e pediu a conta.

– Quanto deu?

– Trezentos e oitenta ienes, por favor – informou Kazu, olhando de soslaio para Kohtake.

Ela digitou o valor nas teclas da registradora.

– Trezentos e oitenta ienes – repetiu Fusagi e tirou uma nota de mil da carteira de couro bem desgastada. – Está bem, aqui tem mil – disse ele enquanto entregava a nota.

– Recebendo 1.000 ienes – falou Kazu, pegando o dinheiro e apertando as teclas.

Fusagi continuava olhando para Kohtake, mas sem nenhum motivo aparente. Ele parecia apenas olhar ao redor, inquieto, enquanto aguardava o troco.

– Aqui está o troco de 620 ienes.

Fusagi estendeu a mão com rapidez e pegou o dinheiro.

– Obrigado pelo café – agradeceu quase como se estivesse se desculpando e foi embora depressa.

DING-DONG

– Obrigada, volte sempre...

Quando Fusagi saiu, o lugar foi tomado por um silêncio constrangedor. A mulher de vestido lia seu livro, sempre alheia ao que acontecia ao seu redor. Sem música de fundo, os únicos sons escutados eram o tique-taque dos relógios e, de vez em quando, a mulher de vestido virando uma página.

Kazu foi a primeira a quebrar o longo silêncio.

– Kohtake... – começou ela, mas não conseguiu encontrar as palavras adequadas.

– Tudo bem, eu já estava mesmo me preparando mentalmente para este dia. – Kohtake sorriu para Kei e Kazu. – Não se preocupem.

Contudo, logo depois de falar, voltou a olhar para o chão. Já havia explicado a doença de Fusagi para Kei e para Kazu, e Nagare e Hirai também estavam sabendo. Kohtake se resignara ao fato de que, uma hora, ele esqueceria por completo quem era ela. Vinha se preparando para esse dia. *Se acontecer,* pensava ela, *vou cuidar dele como enfermeira. Sou enfermeira, então posso fazer isso.*

O início do Alzheimer é diferente para cada indivíduo. Os sintomas dependem de inúmeros fatores, como idade, gênero, causa da doença e tratamento. A deterioração de Fusagi progredia a passos largos.

Kohtake ainda estava chocada por ele ter esquecido quem ela era. Não conseguira organizar os pensamentos e acabou ficando bastante desanimada. Virou-se para onde Kei estava, mas ela havia entrado na cozinha. Quase na mesma hora, Kei reapareceu com uma garrafa de dois litros de saquê.

– Foi presente de um cliente – disse Kei enquanto a colocava no balcão. – Alguém quer uma dose? – perguntou com os olhos sorrindo, embora avermelhados e marejados.

O nome no rótulo era *Sete Felicidades*. A decisão instantânea de Kei tinha sido como um raio de luz naquela atmosfera sombria e amenizou a tensão entre as três mulheres.

Kohtake não sabia se queria beber, mas relutou em deixar a oportunidade passar.

– Bem, só uma...

Kohtake se sentia agradecida pela mudança no ânimo do ambiente. Tinha ouvido falar que Kei costumava ser impulsiva, mas jamais esperava ver que ela poderia se mostrar tão espirituosa em um momento assim.

Hirai mencionara várias vezes *o talento de Kei de viver alegremente*; podia até ter parecido melancólica uns momentos antes, mas agora já encarava Kohtake com olhos brilhantes e arregalados. Para Kohtake, fitá-los era uma experiência estranhamente acolhedora.

– Vou procurar uns tira-gostos para acompanhar – avisou Kazu, sumindo para dentro da cozinha.

– Por que não esquentamos o saquê? – perguntou Kohtake.

– Não precisa – disse Kei.

– Tudo bem, então bebemos assim mesmo, né?

Kei tirou a tampa com destreza e serviu o saquê nos copos que ela mesma enfileirara.

Kohtake conteve uma risada quando Kei pôs o copo na sua frente.

– Obrigada – agradeceu com um sorriso enigmático.

Kazu voltou com uma lata de picles.

– Foi tudo que eu consegui achar...

Pôs no balcão um prato pequeno, no qual serviu os picles, e três garfinhos.

– Hum, delícia! – exclamou Kei. – Mas não posso beber.

Tirou uma caixa de suco de laranja da geladeira embaixo do balcão e encheu um copo para si mesma.

Nenhuma das três gostava muito de saquê, especialmente Kei, que não bebia. O nome era Sete Felicidades porque diziam que aqueles que o tomavam obtinham sete tipos de felicidade. Era um saquê de primeira qualidade, transparente e sem pigmentos. As duas mulheres que o beberam não perceberam muito o tom glacial do saquê *premium*, tampouco seu aroma frutado. Porém, ele desceu bem e proporcionou a sensação de felicidade que o rótulo prometia.

Enquanto Kohtake inspirava o doce aroma, lembrou-se do dia de verão, uns quinze anos antes, em que tinha estado no café pela primeira vez.

Tinha ocorrido uma onda de calor no país naquele verão. Recordes de temperatura eram registrados continuamente por todo o Japão. Dia após dia, a tevê discutia o clima incomum, mencionando inúmeras vezes o aquecimento global. Fusagi havia tirado um dia de folga do trabalho, e os dois foram fazer compras juntos. Estava um calorão. Incomodado com a temperatura, Fusagi implorou para que se refugiassem em algum local fresco, e os dois procuraram um lugar adequado, como um café. O problema era que todos haviam pensado a mesma coisa. Nenhum café ou restaurante que encontraram tinha lugares vazios.

Por puro acaso, avistaram uma pequena placa em um beco estreito. O nome do café era Funiculì Funiculà. Era o mesmo nome de uma música que Kohtake conhecia. Fazia tempo que não a escutava, mas ainda se lembrava claramente da melodia. A letra falava de escalar um vulcão. Pensar na lava fervente naquele dia de verão fez tudo parecer ainda mais quente, e delicadas gotas de suor se formaram na testa de Kohtake. Porém, ao abrir a pesada porta de madeira e entrar, eles se depararam com um café agradavelmente fresco. O *ding-dong* da campainha também foi reconfortante. E apesar de ter três mesas para duas pessoas e três bancos ao balcão, a única cliente era uma mulher de vestido branco sentada à mesa mais distante da entrada. Quanta sorte, o lugar era um achado.

– Que alívio – disse Fusagi e logo escolheu a mesa mais próxima.

Solicitou rapidamente um café gelado para a mulher de olhos brilhantes que trouxe copos de água gelada para os dois.

– Eu também vou querer um café gelado – pediu Kohtake, sentando-se na frente dele.

Fusagi devia estar desconfortável com os lugares que ocuparam, pois foi se acomodar ao balcão. Kohtake não se chateou: estava acostumada a esse comportamento do marido. Ficou apenas pensando em como era maravilhoso ter encontrado um café tão relaxante bem próximo ao hospital onde trabalhava.

Os grossos pilares e a imensa viga de madeira que atravessava o teto eram de um marrom-escuro lustroso, como a casca da castanha portuguesa. Em uma das paredes, três grandes relógios. Kohtake não entendia muito de antiguidades, mas sabia que eram bem antigos. As laterais eram de um tom cáqui e estavam cobertas por um reboco de argila com uma maravilhosa pátina de manchas escuras, que obviamente tinham se acumulado ao longo de muitos anos. Era dia lá fora, mas, dentro do café sem janelas, não se tinha noção alguma do tempo. A luz tênue dava ao interior uma gradação sépia. Tudo isso criava uma atmosfera reconfortante e retrô.

Estava incrivelmente fresco no café, mas não havia sequer um ar-condicionado aparente. Um ventilador de pás de madeira girava devagar, mas só isso. Após pensar que era estranho o café estar tão fresco, Kohtake perguntou a Kei e Nagare sobre isso. Nenhum dos dois deu uma resposta satisfatória; eles apenas disseram: "Faz muito tempo que é assim".

Kohtake gostou de imediato do ambiente e das personalidades de Kei e dos demais funcionários do café. Então começou a frequentar o lugar com assiduidade nos intervalos do trabalho.

– Um brin...

Kazu ia dizer "um brinde", mas se deteve e franziu o rosto como se tivesse cometido uma gafe.

– Acho que isso não é uma celebração, não é mesmo?

– Ah, vamos parando com isso. A gente não precisa ficar tão pra baixo assim – pediu Kei, tentando disfarçar que estava meio desanimada.

Ela se virou para Kohtake e sorriu compassivamente.

Kohtake ergueu o copo na frente do de Kazu.

– Desculpe.

– Que isso, tudo bem.

Kohtake sorriu para tranquilizá-la e encostou seu copo no dela. O harmonioso tinido – inesperado e alegre – ressoou pelo café. Kohtake tomou um gole de Sete Felicidades. A suave doçura espalhou-se pela boca.

– Faz uns seis meses que ele começou a me chamar pelo meu sobrenome de solteira...* – começou ela, falando em voz baixa. – É um processo silencioso. Elas esvaecem devagar, mas constantemente... quero dizer, as lembranças que ele tem

---

* No Japão, é habitual chamar as pessoas pelo sobrenome em demonstração de respeito e também por tradição. (N.T.)

de mim. – Kohtake riu baixinho. – Eu venho me preparando mentalmente, sabe.

Enquanto Kei escutava, mais uma vez seus olhos foram se avermelhando.

– Mas está tudo bem… mesmo. – Com um gesto para tranquilizá-las, Kohtake logo acrescentou: – Escutem, eu sou enfermeira. Mesmo que minha identidade seja completamente apagada da memória dele, eu farei parte da vida dele como enfermeira. Ainda vou ficar ao lado dele.

Kohtake falou com um tom mais confiante para tranquilizar Kei e Kazu. E foi sincera. Estava demonstrando ser corajosa, e sua coragem era real. *Ainda poderei ficar ao lado dele como enfermeira.*

Kazu estava brincando com seu copo, encarando-o inexpressivamente.

Os olhos de Kei ficaram marejados outra vez, e uma única lágrima escorreu.

Tum.

O som veio de trás de Kohtake. A mulher de vestido tinha fechado o livro.

Kohtake se virou a tempo de ver a mulher de vestido colocando o romance sobre a mesa. Ela pegou um lenço em sua bolsa branca, levantou-se da mesa e se dirigiu ao banheiro. Andou em silêncio. Caso não tivessem escutado o livro ser fechado, talvez nem tivessem percebido que a mulher havia saído do lugar.

Kohtake encarava fixamente os movimentos dela, mas Kei deu apenas uma espiadela na mulher, e Kazu tomou um gole de Sete Felicidades sem nem sequer olhar para frente. Afinal, para ambas era apenas um acontecimento comum de todos os dias.

– Ah, isso me lembrou de uma coisa. Por que será que Fusagi quer voltar ao passado? – questionou Kohtake, olhando a cadeira que a mulher de branco tinha desocupado.

Ela sabia, é claro, que era *naquela* cadeira que se voltava ao passado.

Antes do Alzheimer, Fusagi não era o tipo de pessoa que acreditava nessas histórias. Quando casualmente Kohtake mencionava o rumor de que era possível viajar no tempo ali dentro, ele fazia pouco caso da ideia. Não acreditava em fantasmas nem em paranormalidade.

Porém, depois de começar a perder a memória, Fusagi, antes cético, passou a frequentar o café e a esperar a mulher de vestido ir ao banheiro. Quando Kohtake soube disso, não conseguiu acreditar. Mas mudanças na personalidade são um dos sintomas do mal de Alzheimer, e agora que a doença tinha progredido, ultimamente Fusagi andava muito esquecido. À luz dessas alterações, Kohtake decidiu que não era muito estranho que as crenças dele tivessem mudado.

Mas por que ele queria voltar ao passado?

Kohtake estava muito curiosa para saber. Perguntara-lhe em várias ocasiões, mas ele sempre apenas dizia "É segredo".

– Parece que ele quer te entregar uma carta – disse Kazu, como se estivesse lendo a mente de Kohtake.

– Me entregar...?

– Hã-hã.

– Uma carta?

– Fusagi disse que é algo que ele nunca conseguiu te entregar.

Kohtake ficou em silêncio. Depois respondeu, inexpressiva:

– Entendi.

O rosto de Kazu foi tomado pela incerteza. A reação de Kohtake à informação havia sido inesperadamente tranquila. Será que havia sido inapropriado mencionar o assunto?

No entanto, a reação de Kohtake não tinha nada a ver com Kazu. A verdadeira razão para sua resposta seca foi o fato de que não fazia o menor sentido Fusagi ter escrito uma carta. Afinal, ele nunca soube ler ou escrever muito bem.

Fusagi crescera na pobreza em uma cidadezinha decadente. Sua família trabalhava com o comércio de algas, e todos os membros ajudavam. Porém, essa ajuda afetava tanto seu desempenho na escola que ele jamais aprendeu a escrever nada além do hiragana e de uma centena de ideogramas do kanji – mais ou menos o que uma criança costuma aprender nos primeiros anos do ensino fundamental.

Kohtake e Fusagi foram apresentados por um amigo em comum. Kohtake tinha 21 anos, e Fusagi, 26. Foi bem antes de todos terem celulares, então eles se comunicavam por telefone fixo e por cartas. Fusagi queria ser jardineiro paisagista e morava onde quer que estivesse trabalhando. Kohtake começara a estudar enfermagem, o que reduziu ainda mais as oportunidades que tinham de se encontrar. No entanto, mantiveram contato – mas apenas por carta.

Kohtake escrevia sobre todo tipo de coisa em suas correspondências. Escrevia sobre si mesma, obviamente. Sobre o que estava acontecendo na faculdade de enfermagem, sobre os bons livros que tinha lido e sobre os sonhos que nutria para o futuro. Escrevia também sobre acontecimentos cotidianos e sobre as principais notícias do dia, explicando em detalhes seus sentimentos e reações. Às vezes, as cartas chegavam até a dez páginas.

As de Fusagi, por outro lado, eram sempre curtas. Havia vezes em que ele respondia só com uma frase: "Obrigado pela carta interessante" ou "Entendo exatamente o que disse". De início, Kohtake achou que ele devia estar superocupado com o trabalho e não tinha tempo nem para responder, mas, uma carta após a outra, continuou com suas frases concisas. Ela achou que isso significava que ele não estava muito interessado nela. Kohtake então escreveu para Fusagi dizendo que, se ele não estivesse interessado, não precisava se dar ao trabalho de responder e que ela então pararia de escrever caso não obtivesse nenhuma resposta.

Fusagi costumava responder em uma semana, mas dessa vez não foi assim. Após um mês, ela ainda não tinha recebido nada. Kohtake ficou abalada. As respostas dele eram sempre curtas, sem dúvida, mas nunca soavam negativas, como se ele estivesse escrevendo por obrigação. Pelo contrário, elas sempre pareciam francas e genuínas. Então Kohtake ainda não queria desistir. Na verdade, dois meses e meio depois do ultimato ela ainda seguia aguardando.

Então, um dia, após esses quase três meses, chegou uma carta de Fusagi. Tudo o que dizia era: "Quer casar?"

Essas poucas palavras conseguiram comovê-la de um modo diferente de tudo que já havia sentido. Kohtake, contudo, não sabia muito bem como responder à carta após Fusagi abrir seu coração daquela maneira. No fim das contas, respondeu apenas: "Sim, quero".

Foi somente mais tarde que soube que ele mal sabia ler e escrever. Ao descobrir isso, perguntou-lhe como conseguia ler todas as suas extensas cartas. Aparentemente, Fusagi só passava os olhos devagar. E respondia contando a vaga impressão que assim obtivera. Porém, com a última carta, após olhá-la, ele tinha sido tomado pela sensação de que perdera algo importante. Leu palavra por palavra, perguntando a diferentes pessoas o que elas significavam – e por isso demorou tanto para responder.

Kohtake ainda parecia não estar acreditando.

– Era um envelope de papel pardo, mais ou menos deste tamanho aqui, ó – disse Kazu, desenhando no ar com os dedos.

– Um envelope de papel pardo?

Usar um envelope diferente do comum para uma simples carta parecia algo que Fusagi até faria, contudo, para Kohtake, isso ainda não fazia muito sentido.

– Talvez seja uma carta de amor, não? – sugeriu Kei, com os olhos brilhando e inocentemente.

Kohtake abriu um sorrisinho.

– Impossível – disse ela, rejeitando a ideia com um aceno de mãos.

– Mas e se for uma carta de amor, o que você vai fazer? – perguntou Kazu com um sorriso constrangido.

Normalmente, ela não se metia na vida dos outros, mas talvez estivesse insistindo na ideia de ser uma carta de amor para dissipar a nuvem sombria que pairava no ar.

Também ansiosa para mudar de assunto, Kohtake aceitou na boa a tal teoria da carta de amor proposta por duas mulheres que não sabiam de fato o quanto Fusagi não sabia ler nem escrever.

– É… acho que eu gostaria de ler a carta – respondeu ela, sorrindo.

Não era mentira. Se Fusagi tivesse escrito uma carta para Kohtake, é claro que ela gostaria de ler.

– Por que não volta no tempo para descobrir? – sugeriu Kei.

– Está falando sério?! – devolveu Kohtake olhando para Kei, com o rosto atônito de confusão.

Kazu respondeu à ideia insana de Kei pondo o copo no balcão.

– Acha mesmo, maninha? – disse ela, aproximando o rosto do de Kei.

– Você devia ler a carta – falou Kei com bastante firmeza.

– Ok, querida, mas vamos devagar – respondeu Kohtake, tentando desanimá-la, entretanto, já era tarde demais.

Kei estava ofegante e não deu atenção aos esforços de Kohtake para detê-la.

– Se for uma carta de amor que Fusagi escreveu para você, você precisa recebê-la!

Kei estava convencida; era uma carta de amor. Enquanto estivesse com isso na cabeça... ninguém seria capaz de detê-la. Kohtake a conhecia há tempo o bastante para saber disso.

Kazu não parecia particularmente à vontade com o rumo da conversa, mas só fez suspirar e sorrir.

Kohtake olhou mais uma vez para a cadeira de onde a mulher de vestido saíra. Tinha ouvido os boatos sobre a volta ao passado. Também conhecia as inúmeras regras frustrantes e nunca – nem uma vez sequer – havia considerado viajar no tempo. Além do mais, Kohtake nem tinha certeza se era verdade. Porém, caso, digamos, fosse verdade, agora certamente nutria interesse em tentar. Mais do que tudo, queria saber o que ele havia escrito. Se Kazu tivesse mesmo razão, se Kohtake conseguisse voltar para o dia em que Fusagi planejava lhe entregar a carta, ela podia ter esperanças de que ainda fosse possível lê-la.

No entanto, Kohtake vivia um dilema. Agora que sabia que Fusagi queria voltar no tempo para lhe entregar a carta, seria correto retornar para o passado a fim de recebê-la? Ela estava indecisa – parecia errado pegar a carta assim. Respirou fundo e avaliou a situação com calma.

Lembrou-se da regra de que voltar no tempo não mudava o presente, por mais que a pessoa tentasse. Isso significava que, se fosse ao passado e lesse a carta, nada mudaria.

– Nada vai mudar – disse Kazu com franqueza quando Kohtake fez a pergunta para conferir.

Kohtake sentia algo grandioso ganhando vida em seu coração. Nenhuma mudança no presente significava que, mesmo que ela voltasse no tempo e pegasse a carta, Fusagi continuaria planejando, no presente, retornar ao passado para lhe entregar a carta.

Ela virou a dose de Sete Felicidades. Era o que precisava para se decidir. Expirando profundamente, bateu o copo no balcão.

– Isso mesmo. Isso mesmo – murmurou consigo. – Se é apenas uma carta de amor escrita para mim, como é que seria um problema se eu a lesse?

Chamá-la de *carta de amor* dissipava seu sentimento de culpa.

Kei fez que sim vigorosamente, concordando, e bebeu o resto do suco de laranja como que para expressar solidariedade. Suas narinas se alargaram de entusiasmo.

Kazu não virou sua bebida como as outras. Apenas pôs o copo silenciosamente no balcão e foi para a cozinha.

Kohtake parou na frente da cadeira que a transportaria. Sentindo o sangue ser bombeado pelo corpo, espremeu-se com cautela entre a cadeira e a mesa, e se sentou. Todas as cadeiras do café pareciam antiguidades, com elegantes pés no estilo *cabriolet*. O assento e o espaldar eram estofados com um tecido verde-musgo, e de repente Kohtake passou a enxergá-las de outra maneira, como que iluminadas por uma tênue cintilação. Percebeu que todas as cadeiras estavam em excelente estado, como se fossem novinhas em folha. Além disso, não eram apenas as cadeiras; o café inteiro estava um brinco. Se tinha sido inaugurado no começo do período Meiji, devia estar funcionando havia mais de cem anos. Porém, não se percebia o menor indício de mofo.

Kohtake suspirou admirada. Sabia que, para o café ficar naquele estado, alguém devia passar muito tempo cuidando diariamente da limpeza. Ela olhou para o lado e se deparou com Kazu, que se aproximara sem que Kohtake a percebesse. Kazu estava tão parada e quieta que sua aparência tinha algo de sinistro. Trazia uma bandeja prateada nas mãos, sobre a qual repousava uma xícara branca com café e, em vez da jarra de vidro usada normalmente para servir os clientes, um charmoso bule prateado.

O coração de Kohtake parou quando ela viu o quanto Kazu estava bonita. Suas características de menina haviam desaparecido, e agora ela estava com uma expressão elegante e... intimidantemente sombria.

– Está familiarizada com as regras, não está? – perguntou Kazu com um tom casual, porém distante.

Kohtake listou mentalmente as regras com rapidez.

A primeira era que, na volta ao passado, você só podia encontrar pessoas que já tivessem estado no café.

Isso não é problema para mim, pensou Kohtake. *Fusagi esteve aqui inúmeras vezes.*

A segunda regra dizia que a volta ao passado não mudaria o presente, por mais que a pessoa tentasse. Kohtake já havia se tranquilizado a respeito de essa regra não ser um empecilho. Obviamente, isso não se aplicava somente à tal carta. Se, por exemplo, um tratamento novo, revolucionário para o mal de Alzheimer, fosse descoberto, levado de alguma maneira para o passado e testado em Fusagi, seu estado de saúde não melhoraria.

Parecia uma regra cruel.

A terceira regra era que, para voltar ao passado, a pessoa precisava se sentar exatamente naquela cadeira. Por acaso, a mulher de vestido tinha ido ao banheiro bem naquele instante. A estreita janela de oportunidade tinha se aberto no momento perfeito para Kohtake aproveitá-la. Apesar de não saber se era mesmo verdade, Kohtake também tinha ouvido falar que, se uma pessoa tentava tirar a mulher de vestido da cadeira à força, ela a amaldiçoava. Assim, fosse coincidência ou não, Kohtake estava se sentindo com muita sorte.

Porém, as regras não paravam por aí.

A quarta regra dizia que, ao voltar ao passado, não era possível sair da cadeira em que se estava. Não era como se a pessoa estivesse grudada à cadeira. Contudo, se ela se levantasse, voltaria ao presente na mesma hora. Como o café ficava num subsolo, não havia sinal de celular, então não era possível voltar no tempo e ligar para alguém que ali não estivesse. Além disso, não poder se levantar da cadeira significava que era impossível sair dali – mais uma regra detestável.

Kohtake tinha ouvido falar que, muitos anos atrás, o café tinha se tornado bem famoso, atraindo uma multidão de clientes que desejavam viajar no tempo. *Com tantas regras enlouquecedoras, é claro que as pessoas pararam de vir*, concluiu ela.

De repente, Kohtake percebeu que Kazu estava aguardando a resposta dela em silêncio.

– Estou. Preciso tomar o café antes que ele esfrie, não é?

– Isso.

– Tem mais alguma coisa?

E tinha mais uma coisa que ela queria saber: *como poderia ter certeza de que havia voltado ao dia e ao momento corretos?*

– Você precisa formar uma imagem forte do dia para o qual quer voltar – acrescentou Kazu, como se tivesse lido seus pensamentos.

Era um tanto vago dizer para ela simplesmente formar uma imagem.

– Formar uma imagem forte... Como assim? – perguntou Kohtake.

– Um dia antes de Fusagi esquecê-la. Um dia em que ele pensou em te entregar a carta... e um dia em que ele trouxe a carta para o café – explicou Kazu.

Um dia em que ele ainda se lembrava dela – era bem difícil calcular, mas ela pensou em um dia de verão três anos atrás.

Com certeza bem antes de Fusagi começar a demonstrar os primeiros sintomas.

Um dia em que ele pensou em lhe entregar a carta – isso era complicado. Se ela ainda não a recebera, como poderia saber? Porém, não adiantaria nada voltar para um dia antes de ele ter escrito a carta. Kohtake decidiu que simplesmente visualizaria uma imagem de Fusagi redigindo para ela.

E um dia em que ele trouxe a carta para o café – isso era fundamental. Ainda que ela conseguisse voltar no tempo e encontrá-lo, se ele não estivesse com a carta, tudo seria inútil. Felizmente, ela sabia que ele costumava guardar todas as suas coisas importantes na pasta com zíper que ele estava sempre carregando. Se fosse uma carta de amor, ele não a deixaria pela casa. Fusagi certamente a levaria na pasta para que Kohtake não a encontrasse por acaso.

Ela não sabia em que dia ele quis lhe entregar a carta, mas era preciso dar um jeito. Ela formou uma imagem de Fusagi carregando a pasta com zíper.

– Está pronta? – quis saber Kazu com uma voz serena.

– Só um instante. – Respirou fundo. Formou as imagens mais uma vez. – Dia em que ele não me esqueceu… carta… dia em que ele veio… – entoou baixinho.

Tá bom, já perdi tempo demais.

– Estou pronta – afirmou, olhando bem nos olhos de Kazu.

Kazu fez sutilmente que sim. Pôs a xícara de café vazia na frente de Kohtake e pegou com cuidado o bule prateado da bandeja com a mão direita. Seus movimentos de bailarina eram precisos e belos.

– Basta que se lembre de uma coisa… – Kazu parou, encarando Kohtake com um olhar sério. – Tome o café antes que ele esfrie.

Tais palavras, mesmo ditas em voz baixa, ecoaram pelo silencioso ambiente. Kohtake sentia a densa tensão que pairava no ar.

Com um jeito sério e cerimonial, Kazu pôs-se a servir a bebida na xícara.

Um fio delgado de café preto começou a escorrer do bico estreito do bule prateado. Diferentemente do som de gorgolejo que o líquido fazia ao ser servido pela jarra de boca larga, o café encheu a xícara branca em silêncio e bem devagar.

Kohtake nunca tinha visto um bule como aquele. Era um pouco menor do que os que ela tinha visto em outros cafés. Era robusto, mas muito elegante e refinado. *O café também deve ser especial*, ponderou ela.

Enquanto esses pensamentos passavam pela sua cabeça, a fumacinha começou a subir da xícara agora cheia. Naquele exato instante, tudo ao redor de Kohtake desatou a ondular e tremeluzir. De repente, o seu campo de visão inteiro pareceu surreal. Lembrou-se do copo de Sete Felicidades que tinha tomado há pouco.

Será que eu estou sentindo os efeitos do álcool?

Não. Com certeza era algo diferente. Ela estava sentindo algo muito mais assustador. Seu corpo também começara a espiralar e tremeluzir. Ela se tornara o vapor que saía do café. Parecia que tudo ao seu redor estava se desfazendo.

Kohtake fechou os olhos, não por medo, mas para tentar se concentrar. Se agora ela de fato estava voltando no tempo, queria se preparar mentalmente.

A primeira vez que Kohtake percebeu alguma mudança em Fusagi foi por causa de algo que ele disse. Na noite em que o marido admitiu em voz alta o que tinha acontecido, Kohtake estava preparando o jantar enquanto o aguardava chegar em casa. O trabalho de um jardineiro paisagista não é apenas podar os galhos e juntar as folhas com o ancinho. Ele precisava considerar o equilíbrio entre a casa e o jardim. O jardim não podia ser colorido demais, nem simples demais. "A palavra-chave é equilíbrio." Era isso que Fusagi sempre dizia. Seu dia de trabalho começava cedo, mas acabava ao anoitecer. A não ser que houvesse algum motivo específico, Fusagi voltava direto para casa. Então, quando Kohtake não trabalhava no turno da noite, ela o esperava para que eles jantassem juntos.

Naquela ocasião, anoiteceu e Fusagi não voltou para casa. Era um comportamento estranho, mas Kohtake supôs que ele tivesse saído para beber com os colegas.

Quando finalmente chegou em casa, foram duas horas mais tarde do que o normal. Ele costumava tocar a campainha três vezes ao chegar. Naquela noite, ele não o fez. Em vez disso, Kohtake ouviu o som da maçaneta girando e uma voz lá fora dizendo: "Sou eu".

Ao escutar sua voz, Kohtake saiu correndo e abriu a porta em pânico. Achou que ele devia ter se machucado, sabe-se lá como, impedindo-o de tocar a campainha. Mas lá estava ele com a mesma aparência de sempre, com sua bata de jardinagem cinza e sua calça azul-marinho. Havia tirado a bolsa de ferramentas do ombro e, parecendo um pouco constrangido, admitiu: "Eu me perdi".

Foi perto do fim do verão, dois anos atrás.

Como era enfermeira, Kohtake sabia reconhecer os sintomas iniciais de muitas doenças. Aquilo não era um mero esquecimento. Disso ela tinha certeza. Pouco depois, Fusagi começou a esquecer se tinha feito uma tarefa no trabalho ou não. Quando a doença progrediu um pouco mais, ele passou a acordar no meio da noite e dizer em voz alta: "Esqueci de fazer uma coisa importante". Quando isso acontecia, Kohtake não discutia com ele; concentrava-se em acalmá-lo, dizendo que pela manhã eles poderiam conferir.

Kohtake chegou até a consultar um médico sem ele saber. Queria tentar qualquer coisa que pudesse retardar o avanço da doença, mesmo que apenas um pouco.

Porém, à medida que os dias passavam, Fusagi começou a esquecer cada vez mais. Gostava de viajar. Não era da viagem em si que ele gostava, mas da oportunidade de visitar jardins de diferentes lugares. Kohtake sempre tirava férias na mesma época que ele para que pudessem viajar juntos. Ele reclamava e dizia que era viagem de trabalho, mas ela não se incomodava. Durante a viagem, Fusagi parecia estar sempre de testa franzida, mas Kohtake sabia que era isso que ele fazia ao ver algo de que gostava.

Mesmo enquanto a doença progredia, não pararam de viajar, mas ele preferia visitar o mesmo lugar repetidas vezes. Depois de um tempo, o Alzheimer começou a afetar o cotidiano do casal. Estava se tornando *normal* Fusagi esquecer que tinha comprado algo. E, com uma frequência cada vez maior, havia dias em que perguntava: "Quem foi que comprou isso?", e acabava passando o resto do dia de mau humor. Eles moravam num apartamento para onde tinham se mudado após se casarem, mas ele começou a não voltar para casa e ela passou a receber ligações frequentes da polícia. Então, cerca de seis meses atrás, Fusagi começou a chamá-la pelo seu sobrenome de solteira, Kohtake.

Finalmente, a sensação vertiginosa de ondulação e bruxuleio se esvaiu. Kohtake abriu os olhos. Viu o ventilador girar lentamente... suas mãos e seus pés... ela já não era mais um vapor.

No entanto, Kohtake não sabia se realmente havia voltado no tempo. O café não tinha janelas, e a iluminação era sempre tênue. A não ser que se olhasse o próprio relógio de pulso, não era possível saber se era dia ou noite. Os três robustos relógios de parede indicavam horas completamente discrepantes.

Mas havia algo diferente. Kazu desaparecera. Kei também não estava em lugar algum. Kohtake até tentou se acalmar, mas não conseguiu impedir o coração de acelerar cada vez mais. Deu outra olhada em volta.

– Não tem ninguém aqui – murmurou ela.

A ausência de Fusagi, por quem tinha voltado no tempo, foi uma grande decepção.

Encarou o ventilador de teto, confusa, e refletiu sobre sua difícil situação.

Era uma pena, mas talvez fosse melhor assim. Na verdade, sob certos aspectos, estava aliviada. É claro que ela queria ler a carta. Mas não conseguia deixar de sentir uma certa culpa por dar uma espiadinha nela, por assim dizer. Fusagi certamente teria se irritado se soubesse que Kohtake tinha vindo do futuro para ler o que ele havia escrito.

E, de todo jeito, nada do que fizesse mudaria o presente. Não importava o fato de ler a carta ou não. Se a leitura dela fosse melhorar o estado dele de alguma maneira, é claro que não só ela a leria – até daria a própria vida por isso. Porém, a carta não tinha nada a ver com o estado dele e não mudaria o fato de que Fusagi esquecera Kohtake.

De maneira fria e racional, Kohtake refletiu sobre o próprio dilema. Um pouco antes, ela se chocara quando ele perguntou se eles se conheciam. Ficou chateada demais. Sabia que aquele momento chegaria, mas ainda assim ficou atordoada e decidiu voltar no tempo.

De tanto que ponderou, começou a se sentir mais serena.

Se aquilo era o passado, ele não tinha nenhuma utilidade.

É melhor eu voltar para o presente. Mesmo que eu seja uma mera desconhecida para Fusagi, posso ser a enfermeira dele. Preciso fazer o que é possível. Lembrou-se da decisão de seu coração e a reafirmou.

– Duvido que seja uma carta de amor – Kohtake pensou alto enquanto pegava a xícara.

DING-DONG

Alguém havia chegado ao café. Para entrar, era preciso descer uma escada a partir do nível da rua e passar por uma enorme porta de mais de dois metros de altura, de madeira maciça. É quando a porta abre que a campainha toca. Contudo, a pessoa não aparece de imediato na entrada, pois antes é preciso atravessar um corredor. Quando o *ding-dong* soa, há um intervalo de alguns segundos antes de o cliente dar dois ou três passos e entrar *de fato* no café.

Então, quando a campainha tocou, Kohtake não fazia ideia de quem tinha chegado. *Seria Nagare? Ou Kei?* Ela percebeu o quanto o suspense a deixara nervosa. Seu coração estava acelerado de entusiasmo. Não era o tipo de coisa que ela costumava fazer – era uma experiência única na sua vida, para ser mais preciso. *Se for Kei, ela provavelmente me perguntará por que estou aqui. Kazu, por outro lado, como de praxe apenas me servirá… o que provavelmente seria frustrante.*

Kohtake imaginou vários cenários. No entanto, a pessoa que apareceu não era Kei nem Kazu.

– Ah! – exclamou Kohtake.

A repentina presença a surpreendeu. Ela havia voltado para vê-lo, mas não esperava que ele fosse entrar no café naquele momento.

Estava com uma camisa polo azul-marinho e uma bermuda bege que batia em seus joelhos. Era o que ele vestia nos dias de folga. Devia estar quente lá fora, pois se abanava com uma pasta preta com zíper.

Ela continuou parada na cadeira. Ele ficou estático na entrada por um tempo, encarando-a com um olhar *sui generis*.

– E aí – soltou. Foi tudo que ela conseguiu dizer.

Kohtake não fazia a mínima ideia de como abordar o motivo pelo qual estava ali. Fusagi jamais a fitara daquele jeito. Não desde que os dois se conheceram – muito menos desde que tinham se casado. Era lisonjeador e embaraçoso ao mesmo tempo.

Havia formado uma vaga imagem de três anos atrás, mas não tinha como saber ao certo que era lá onde se encontrava.

Talvez ela não tivesse imaginado direito, e, se fosse o caso, como poderia saber que não tinha, por engano, acertado o número *três*, mas voltado para apenas três *dias* atrás? Quando começou a pensar que talvez tivesse sido imprecisa demais...

– Ah, oi. Eu não esperava te encontrar aqui – disse Fusagi com naturalidade.

Estava falando como antes de adoecer. Ele se encontrava como ela o imaginara – isto é, da maneira como Kohtake se lembrava dele.

– Fiquei esperando, mas você não voltou para casa – acrescentou ele, desviando o olhar. Tossiu nervosamente com a testa franzida, como se, por algum motivo, não estivesse muito à vontade.

– Então é mesmo você? – perguntou ela.

– Hã?

– Sabe quem eu sou?

– O quê?

Ele a olhou, curioso. Mas ela, obviamente, não estava brincando. Era evidente que Kohtake tinha voltado para o passado. Mas para quando? Para antes ou depois do início do Alzheimer? Precisava ter certeza.

– Diga meu nome, só isso.

– Dá para parar de debochar de mim? – pediu Fusagi, irritado.

Embora ele não tivesse respondido, ela sorriu aliviada.

– Tá tudo bem... – disse Kohtake, balançando um pouco a cabeça.

A breve conversa informou-lhe tudo o que ela queria saber. Estava de fato no passado. O Fusagi que se encontrava a sua frente era o Fusagi que não havia perdido a memória. Se a imagem que ela havia formado tinha dado certo, era o Fusagi de três anos antes. Kohtake sorriu enquanto, desnecessariamente, mexia seu café.

Fusagi observou Kohtake e seu comportamento peculiar.

– Você está um pouco esquisita hoje – disse ele, dando uma olhada ao redor como se tivesse acabado de perceber que não havia mais ninguém ali. – Nagare, você está por aí? – chamou ele em direção à cozinha.

Após ficar sem uma resposta, foi para trás do balcão, com suas sandálias *setta* fazendo barulho enquanto andava. Deu uma espiada no cômodo dos fundos, mas não havia mesmo ninguém.

– Que estranho. Não tem ninguém aqui – murmurou.

Ele se sentou no banco ao balcão, que ficava mais distante de Kohtake.

Ela tossiu de propósito só para chamar sua atenção. Ele a olhou, irritado.

– O que foi?

– Por que está sentado aí?

– Por que não? O que me impede de me sentar aqui?

– Por que não vem se sentar aqui comigo?

Ela deu um tapinha na mesa para que ele viesse se sentar na cadeira vazia a sua frente. Mas ele se retraiu ao ouvir a ideia.

– Estou bem aqui – respondeu ele.

– Ah, puxa... por que não?

– Duas pessoas já mais velhas e casadas, sentadas desse jeito aí... não dá – disse Fusagi, um pouco irritado.

A ruga entre suas sobrancelhas aprofundou-se. Ele rejeitou a ideia, mas, quando franzia a testa assim, isso não significava que estava descontente. Pelo contrário, era um sinal de que estava de bom humor.

Ela sabia muito bem que era a maneira dele de disfarçar a vergonha.

– É verdade, nós somos casados… por sinal, muito bem casados – concordou Kohtake sorrindo, muito contente por ouvir a palavra *casadas* sair dos lábios dele.

– Argh… não seja tão melodramática assim.

Agora, tudo que ele dizia provocava ondas de nostalgia… e de felicidade. Ela tomou um gole do café distraidamente.

– Xiii… – disse Kohtake em voz alta ao sentir o quanto o café já havia amornado.

Ela notou de repente o quanto seu tempo ali era limitado. Precisava fazer o que precisava fazer antes que a bebida esfriasse por completo.

– Escute, eu preciso te perguntar um negócio.

– O quê? O que foi?

– Tem alguma coisa… algo que você queira me entregar?

O coração de Kohtake começou a acelerar. Fusagi escrevera antes do começo da doença, então *talvez* fosse uma carta de amor. *Totalmente impossível*… dizia ela a si mesma. *Mas… e se fosse?* Sua vontade de ler a carta se intensificou, ainda mais porque ela sabia que o presente não mudaria, não importava o que fizesse.

– O quê?

– Mais ou menos deste formato…

Com os dedos, ela desenhou no ar o tamanho do envelope que Kazu lhe mostrara. Aquela abordagem direta o assustou, e Fusagi a olhou com intensidade, completamente imóvel. *Estraguei tudo*, pensou Kohtake ao ver a expressão dele. Ela se lembrou de quando acontecera algo parecido logo após eles se casarem.

Fusagi tinha comprado um presente de aniversário para Kohtake. Na véspera da data, por acidente, ela o encontrou no meio das coisas dele. Como nunca tinha ganhado nada do marido, ficou exultante ao pensar que receberia um presente seu pela primeira vez. No dia do aniversário, quando ele voltou do trabalho, ela estava tão entusiasmada que lhe perguntou: "Não tem nada especial para me dar hoje?" Mas, ao ouvir isso, ele ficou muito quieto. "Não, nada em particular", disse ele. No dia seguinte, ela encontrou o presente na lixeira. Era o lenço lilás.

Kohtake sentiu que havia cometido o mesmíssimo erro de novo. Fusagi odiava quando alguém lhe pedia para fazer algo que ele próprio já iria fazer. Agora Kohtake temia que, mesmo que ele estivesse com a carta, jamais a entregasse – especialmente se fosse uma carta de amor. E lamentou ainda mais o seu descuido, pois não tinha tempo a perder. Ele parecia assustado. Ela sorriu para ele.

– Desculpe. Não era nada importante. Por favor, esqueça o que eu falei – pediu com um jeito descontraído. Então, para enfatizar que realmente não importava, tentou puxar papo. – Ei, eu acabei de pensar uma coisa: por que não jantamos sukiyaki?

Era o prato preferido dele. Parecia estar desanimado, mas isso costumava alegrá-lo.

Ela estendeu a mão e sentiu a temperatura do café com a palma. Ainda estava boa. Ainda tinha tempo. Podia aproveitar aqueles preciosos momentos com ele. Queria esquecer a carta por ora. Pela reação de Fusagi, era óbvio que havia escrito algo para ela. Caso contrário, teria respondido sem meias-palavras: "De que diabos está falando?". Se ela insistisse, ele terminaria jogando a carta fora. Então Kohtake decidiu mudar sua estratégia. Tentaria melhorar o humor dele para que o que havia acontecido em seu aniversário não se repetisse. Ela o olhou. Seu rosto ainda estava sério. Porém, era sempre assim. Nunca iria deixar que ela pensasse que, só de ouvir a palavra sukiyaki, seu humor melhoraria na mesma hora. Ele não era tão franco assim. Aquele era o Fusagi de antes do Alzheimer. Até mesmo o rosto emburrado era precioso para ela. Era uma alegria estar ao lado dele outra vez. No entanto, Kohtake havia interpretado mal a situação.

– Ah, entendi. Já sei o que está acontecendo aqui – disse ele com um olhar sombrio.

Levantou-se do balcão, foi até a frente dela e parou.

– Já sabe... Como assim? – perguntou Kohtake, fitando-o. Fusagi estava em uma posição intimidadora, fulminando-a com o olhar. – O que houve?

Ela nunca o vira desse jeito.

– Você veio do futuro... não foi?

– Hein?

O que Fusagi havia acabado de dizer podia soar insano. Mas ele tinha razão – a esposa viera do futuro.

– Hum. Veja só... – Kohtake estava quebrando a cabeça para tentar lembrar se havia alguma regra que dizia, *ao voltar no tempo, você não pode revelar que veio do futuro*. Mas não havia. – Escute, eu posso explicar...

– Bem que achei esquisito você estar sentada nessa cadeira.

– Sim... pois é.

– Então você já está sabendo da minha doença.

Ela sentiu o coração acelerar outra vez. Achava que tinha voltado para uma época antes da doença – mas estava enganada. O Fusagi diante dela já sabia que estava com Alzheimer.

Só pelas roupas dele, ela sabia qual era a estação do ano. Tinha voltado para o verão de dois anos atrás – quando ele começou a ficar esquecido, quando ela começou a notar os primeiros sinais da doença. Se tivesse voltado para somente um ano atrás, sua conversa com ele já seria confusa.

Em vez de três anos atrás, tinha voltado para um dia que satisfazia os critérios que imaginara: *um dia em que ele ainda se lembrava dela... um dia em que ele pensou em lhe entregar a carta... e um dia em que ele trouxe a carta para o café*. Se ela tivesse voltado três anos, ele ainda não teria escrito a carta.

O Fusagi diante dela sabia que estava doente, então era provável que a carta falasse disso. Ademais, o pavor com que reagira quando ela mencionou a carta parecia ser mais uma evidência disso.

– Você sabe, não é? – disse ele enfaticamente, insistindo para que ela respondesse. A essa altura, Kohtake já não tinha mais como mentir e, em silêncio, fez que sim. – Entendi – murmurou ele.

Ela se recompôs. *Tudo bem, nada do que eu fizer aqui pode mudar o presente. Mas pode chateá-lo... Eu nunca teria voltado para o passado se achasse que isso poderia acontecer. Que vergonha; eu só pensei no fato de que talvez fosse uma carta de amor.*

Ela estava muitíssimo arrependida de ter voltado. Mas não era hora de se lamentar. Ele havia se calado.

– Oh, meu amor... – disse ela para um abatido Fusagi.

Kohtake nunca o vira tão triste. Era de partir o coração. De repente, ele se virou de costas para ela e foi até o balcão. Pegou a pasta preta. Tirou dela um envelope de papel pardo e aproximou-se de Kohtake outra vez. No rosto, nenhum sinal de desespero nem de sofrimento; parecia mais envergonhado do que qualquer outra coisa.

Fusagi começou a murmurar com uma voz gutural que era difícil de escutar:

– Nesta época, você ainda não sabe da minha doença...

Talvez ele tenha essa impressão. Mas ou eu desconfio, ou saberei muito em breve.

– Eu simplesmente não sabia como te contar e...

Ele ergueu o envelope para ela. Estava planejando contar que tinha Alzheimer por meio da carta.

Mas não preciso ler... eu já sei. Faria mais sentido entregá-la para o meu "eu" do passado. Para o meu "eu" a quem Fusagi não consegue entregá-la... Suponho que, se ele não consegue entregá-la para aquele meu "eu", eu possa pegá-la. É assim que as coisas são.

Decidiu deixar daquele jeito. Não queria falar da doença dele. O pior cenário seria se Fusagi perguntasse como estava no presente. Se quisesse saber como e quanto a doença havia progredido, quem sabe como ele lidaria com a terrível notícia. Kohtake precisava voltar antes que ele perguntasse. Agora era o momento de retornar ao presente...

Na temperatura em que o café estava, ela podia bebê-lo de um gole só.

– Não posso deixar o café esfriar – disse ela e aproximou a xícara da boca.

– Então... eu vou me esquecer? Eu me esqueço de você? – murmurou ele, cabisbaixo.

Ao ouvir isso, foi tomada pela confusão. Nem sabia mais por que tinha uma xícara de café na sua frente.

Ela o olhou, trêmula. Ao encará-lo, percebeu o quanto ele estava arrasado. Jamais imaginara que ele seria capaz de ficar com uma expressão assim. Sem saber o que dizer, não conseguiu nem sequer manter o contato visual e terminou olhando para baixo.

Como ela se calou, sua resposta à pergunta terminou sendo um "sim".

– Entendi. Era o que eu temia – murmurou, melancólico.

Fusagi abaixou tanto a cabeça que parecia que o pescoço ia quebrar.

Os olhos dela se encheram de lágrimas. Após o diagnóstico, ele lidara todos os dias com o pavor e a ansiedade provocados pela possibilidade de perder a memória. Mas ela, sua mulher, não sabia que ele estava enfrentando esses pensamentos e sentimentos sozinho. Ao descobrir que Kohtake tinha vindo do futuro, a primeira coisa que ele quis saber foi se havia se esquecido dela, sua esposa. Perceber isso a encheu de alegria e de tristeza.

E lhe deu forças para olhá-lo nos olhos, sem enxugar as próprias lágrimas. Ela abriu um grande sorriso para que ele as interpretasse como lágrimas de alegria.

– Na verdade, aos poucos você vai melhorar, sabia?

(Como enfermeira, agora é o momento de ser forte.)

– E no futuro você me contou que...

(Posso dizer qualquer coisa sem mudar o presente.)

– Passou por momentos de muita ansiedade.

(Que mal vai fazer se eu mentir? Se eu puder aliviar a ansiedade dele, mesmo que só por um momento, vale a pena...)

Ela queria tanto que ele acreditasse na mentira que faria qualquer coisa. Estava com um nó na garganta. As lágrimas escorriam pelo rosto. Porém, ainda com seu sorriso radiante, ela prosseguiu:

– Vai ficar tudo bem.

(Vai ficar tudo bem.)

– Você vai se recuperar.

(Você vai se recuperar!)

– Não se preocupe.

(Você vai se recuperar... de verdade.)

Ela dizia cada palavra com todas as forças que tinha. Na sua cabeça, não era uma mentira. Mesmo que ele tivesse esquecido quem ela era... mesmo que nada do que fizesse mudasse o presente. Ele a olhou bem nos olhos, e ela fez o mesmo, limpando o rosto ensopado de lágrimas.

Ele parecia feliz.

– Vou mesmo? – sussurrou baixinho.

– Vai, sim – respondeu ela.

Ele a olhou com extremo afeto. Encarando o envelope nas mãos, aproximou-se dela devagar. Agora ele estava a uma distância que lhe permitia entregar a carta.

– Tome – disse ele.

Como uma criança encabulada, entregou o envelope de papel pardo que estava segurando.

Kohtake tentou afastar o envelope.

– Mas você vai melhorar – disse ela.

– Então... pode jogar fora – respondeu ele, entregando a carta com mais veemência.

O tom, contudo, estava diferente do seu habitual jeito rude. Falava com tanto carinho que ela ficou com a estranha sensação de que devia ter deixado escapar alguma coisa.

Mais uma vez, ele empurrou o envelope para ela. As mãos trêmulas de Kohtake se estenderam e o pegaram nervosamente. Ela não sabia ao certo quais eram as intenções dele.

– Beba. Seu café vai esfriar – disse Fusagi, mencionando a regra.

A ternura em seu sorriso parecia infinita.

Ela fez que sim, mas sutilmente. Sem saber o que dizer, pegou o café.

Quando ela segurou a xícara com firmeza, ele se virou de costas.

Era como se o tempo deles como casal tivesse chegado ao fim. Uma enorme lágrima começou a se formar no olho dela.

– Meu amor! – exclamou ela sem pensar.

Ele não se virou. Seus ombros pareciam tremer muito levemente. Enquanto olhava suas costas, ela tomou o café de uma vez só. Bebeu-o num único gole, não porque a bebida estivesse prestes a esfriar, mas por respeito a Fusagi, cujas delicadas costas estavam viradas para garantir que ela voltaria para o presente com rapidez e em segurança. Tamanha era sua generosidade.

– Minha querida.

Ela foi tomada por uma sensação tremeluzente e ondulante. Pôs a xícara no pires. Ao afastar a mão, Kohtake pareceu se dissolver no vapor. Tudo o que restava a ser feito era voltar ao presente. O momento fugaz em que os dois tinham voltado a ser marido e mulher chegara ao fim.

De repente, Fusagi se virou – talvez em reação ao som da xícara batendo no pires. Kohtake não sabia como ele a estava enxergando, mas parecia ser capaz de vê-la. Enquanto sua consciência tremulava e se dissipava no vapor, ela viu os lábios dele discretamente se moverem.

A não ser que ela estivesse enganada, ele parecia estar dizendo *Obrigado*.

A consciência se fundira com o vapor, e ela iniciara a transição do passado para o presente. O café ao seu redor começou a avançar no tempo. Kohtake não conseguiu conter as lágrimas. Num piscar de olhos, percebeu que Kazu e Kei tinham reaparecido no seu campo de visão. Voltara ao presente – ao dia em que ele a esquecera por completo. Bastou ver a expressão dela para que Kei fosse tomada pela preocupação.

– E a carta? – perguntou ela.

Carta, mas não *de amor*.

Baixou a vista para o envelope que Fusagi lhe dera no passado. Lentamente, retirou a carta do envelope.

O texto estava no sistema de escrita mais básico, com as letras curvilíneas como minhocas rastejantes. Era realmente a caligrafia de Fusagi. Enquanto lia a carta, Kohtake cobriu a boca com a mão direita para não soluçar enquanto as lágrimas pingavam.

Suas lágrimas irromperam tão repentinamente que Kazu ficou aflita.

– Kohtake... está tudo bem? – perguntou ela.

Os ombros de Kohtake começaram a tremer, e de repente ela desatou a chorar cada vez mais alto. Kazu e Kei a encaravam, sem saber direito o que fazer. Após um tempo, entregou a carta a Kazu.

Kazu pegou o papel e, como que pedindo permissão, olhou para Kei atrás do balcão. Kei fez sutilmente que sim com uma expressão de seriedade.

Kazu olhou de novo para uma chorosa Kohtake e começou a ler em voz alta.

Você é enfermeira, então creio que já percebeu. Eu tenho uma doença que me faz esquecer as coisas.

Imagino que, quando eu for perdendo a memória, você poderá cuidar de mim com o distanciamento de uma enfermeira, mesmo que eu faça ou diga coisas estranhas – e mesmo que eu esqueça quem você é.

Então eu peço que nunca esqueça de uma coisa. Você é minha esposa, e, se a vida ficar difícil demais para você como minha esposa, quero que me deixe.

Não precisa ficar comigo como enfermeira. Se eu me tornar inútil como marido, eu quero que me deixe. Tudo o que peço é que faça o possível como minha esposa. Afinal, somos marido e mulher. Mesmo que eu perca a memória... quero que fiquemos juntos só como marido e mulher. Não suporto a ideia de nós dois continuarmos juntos apenas por uma questão de compaixão.

Não consigo lhe dizer isso pessoalmente, então resolvi escrever esta carta.

Quando Kazu acabou de ler, Kohtake e Kei estavam olhando para o teto, aos prantos. Kohtake compreendeu por que Fusagi entregara a carta a ela, sua esposa do futuro. Com base na carta, ficava claro que ele adivinhara o que ela faria após descobrir a doença. Então, quando ela veio do futuro, ele entendeu que, assim como ele previra, no futuro ela estava cuidando dele como enfermeira.

Em meio à ansiedade e ao medo de perder a memória, ele esperava que ela continuasse sendo sua esposa. Ela sempre estivera guardada lá no coração de Fusagi.

Havia mais provas disso. Mesmo após perder a memória, alegrava-se em folhear revistas de viagem, abrir o caderno e fazer anotações. Certa vez, viu o que ele tinha escrito. Estava listando os destinos aonde tinha ido para visitar jardins. Ela meramente presumira que as atitudes dele nada mais eram que reminiscências do seu trabalho como jardineiro paisagista.

Mas estava enganada. Os destinos que anotara eram todos os lugares que conhecera *com ela*. Na época, ela não percebeu. Não entendeu. As anotações eram o último ponto de apoio para Fusagi, que esquecia, aos poucos, quem ela era.

Obviamente, Kohtake não considerava um erro cuidar dele como enfermeira. Acreditava que era melhor assim. E ele não escrevera a carta para culpá-la. Parecia que ele já sabia que ela mentiria dizendo que ele iria se *curar*, mas era uma mentira sobre a qual Fusagi queria acreditar. *Caso contrário*, pensou Kohtake, *ele não teria dito "obrigado"*.

Depois que Kohtake parou de chorar, a mulher de vestido voltou do banheiro, parou na frente dela e disse apenas duas palavras:

– Sai daí! – exclamou entre os dentes.

– Claro – falou Kohtake, levantando-se com um salto e cedendo o lugar.

A volta da mulher de vestido aconteceu num momento impecável, perfeito, e coincidiu com a mudança no humor de Kohtake. Com os olhos inchados de tanto chorar, encarou Kazu e Kei. Ergueu a carta que Kazu tinha acabado de ler e a balançou.

– Assim sendo... estamos combinados – disse sorrindo.

Kei confirmou fazendo que sim, as lágrimas ainda fluindo de seus olhos redondos e brilhantes, como uma cachoeira.

– E não é o que eu tenho feito? – murmurou Kohtake, olhando a carta.

– Kohtake – disse Kei, fungando e parecendo preocupada.

Kohtake dobrou a carta com todo o cuidado e a guardou no envelope.

– Vou para casa – avisou ela com uma voz cheia de confiança e coragem.

Kazu fez que sim sutilmente. Kei ainda fungava. Kohtake olhou para Kei, até então lacrimosa; havia chorado mais do que ela. Kohtake sorriu como se achasse que Kei estava ficando desidratada já, e expirou profundamente. Ela não parecia mais perdida, e sim fortalecida. Já no balcão, tirou o porta-moedas da bolsa de ombro e entregou 380 ienes para Kazu.

– Obrigada por tudo – agradeceu.

Com uma expressão calma, Kazu retribuiu o sorriso.

Kohtake fez que sim discretamente e então se dirigiu para a entrada.

Andou depressa. Queria ver logo o rosto de Fusagi.

Atravessou a soleira e ficou fora de vista.

– Ah! – disse e voltou para o café. Kazu e Kei a olharam, curiosas. – Mais uma coisa – prosseguiu Kohtake. – A partir de amanhã, eu não quero que me chamem mais pelo meu sobrenome de solteira, tá bom?

E abriu um largo sorriso.

Tinha sido Kohtake que pedira originalmente para ser chamada pelo sobrenome de solteira. Quando Fusagi começou a chamá-la de Kohtake, ela quis evitar confusão. Porém, agora isso não era mais necessário. Um sorriso reapareceu no rosto de Kei, e seus olhos brilhantes se arregalaram ao máximo.

– Tá bom, pode deixar – disse ela com imensa alegria.

– Avise aos outros também – pediu Kohtake e, sem esperar uma resposta, acenou e foi embora.

DING-DONG

– Então tá – disse Kazu, como se estivesse falando sozinha e guardou o dinheiro de Kohtake na caixa registradora.

Kei pegou a xícara que Kohtake tinha usado e entrou na cozinha para buscar o refil da mulher de vestido. O som de *tec, tec* das teclas da registradora reverberavam pelo ambiente fresco. O ventilador de teto continuava girando em silêncio. Kei voltou e serviu outro café para a mulher.

– Agradecemos sua presença em mais um verão – sussurrou Kei.

A mulher de vestido continuou lendo o romance e nada respondeu. Kei pôs a mão na própria barriga e sorriu.

O verão estava apenas começando.

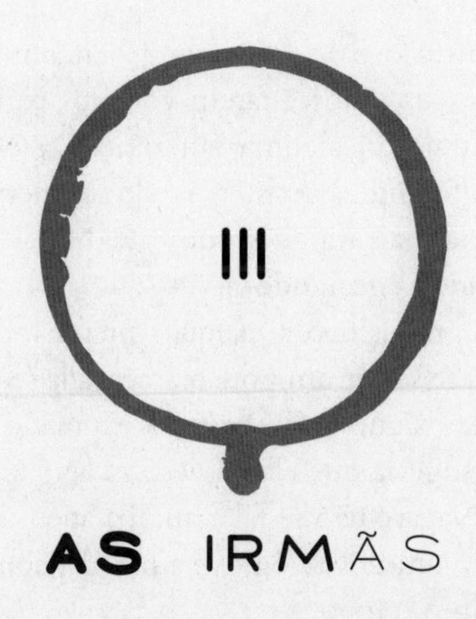

AS IRMÃS

Tinha uma garota sentada, em silêncio, *naquela* cadeira.

Parecia ter a idade de uma aluna de ensino médio. Os olhos eram grandes e meigos. Estava usando uma blusa bege de gola rulê, minissaia xadrez, legging preta e botas marrons. Havia um sobretudo pendurado no encosto de sua cadeira. Suas roupas poderiam ser usadas por um adulto, mas sua expressão tinha algo de pueril. Os cabelos tinham um corte *bob* na altura do queixo. Estava sem maquiagem, mas os cílios naturalmente longos ressaltavam suas belas feições. Apesar de ter vindo do futuro, não havia nada que a impedisse de ser reconhecida em público como alguém do presente – exceto pela tal regra de que qualquer pessoa que viesse do futuro tinha de se sentar *naquela* cadeira. Como era início de agosto, contudo, suas roupas não tinham absolutamente nada a ver com a estação.

Ainda não se sabia quem a garota tinha vindo encontrar. Naquele momento, a única pessoa no café era Nagare Tokita. O homem corpulento de olhos bem puxados estava de pé atrás do balcão vestindo seu uniforme de cozinheiro.

Mas a garota não parecia ter vindo encontrar o dono do café. Apesar de seus olhos estarem voltados para Nagare, não demonstravam emoção alguma em relação a ele. Ela parecia totalmente indiferente à existência do homem. Ao mesmo tempo, não havia mais ninguém no café. Nagare ficou parado de braços cruzados, encarando-a.

Nagare era grandalhão. Qualquer menina, ou até mesmo mulher, poderia se sentir um pouco ameaçada se ficasse sozinha com ele naquele exíguo café. Porém, a expressão impassível no rosto da garota sugeria que ela não estava nem aí.

A garota e Nagare não se falaram. Ela apenas olhava de vez em quando para um dos relógios na parede, como se estivesse preocupada com o tempo.

De repente, o nariz de Nagare se contraiu, e seu olho direito ficou arregalado. Ouviu-se um *ping* da torradeira na cozinha. A comida estava pronta. Ele foi até lá e começou a preparar algo. A garota não deu a mínima atenção ao barulho e tomou um gole de café. Mexeu a cabeça como quem diz *sim*. O café ainda devia estar quente até aquele momento, pois sua expressão indicava que tinha tempo de sobra.

Nagare saiu da cozinha. Estava carregando uma bandeja retangular com torrada e manteiga, salada e iogurte com frutas. A manteiga era caseira – a especialidade dele. Era tão gostosa que a tal mulher dos rolos no cabelo, Yaeko Hirai, até trazia seu próprio pote de plástico para levar um pouco.

Nagare se alegrava muito com o prazer que os clientes sentiam ao comer sua deliciosa manteiga. O problema era que, embora ele usasse os ingredientes mais caros, a manteiga era gratuita para os clientes. Ele não cobrava pelos extras; era muito exigente quanto à qualidade. Seus altos padrões eram um grande problema.

Ainda segurando a bandeja, ele parou na frente da garota. Seu imenso corpo devia parecer um armário para a pequenina ali sentada.

Ele a olhou.

– Quem você veio encontrar? – perguntou o homem, indo direto ao ponto.

A garota olhou o "armário" a sua frente. Encarou Nagare casualmente. Ele estava acostumado a ver os desconhecidos reagirem à sua enorme estatura com espanto ou apreensão; era até esquisito não causar tal efeito.

– Diga – insistiu ele.

Mas a garota não respondeu a contento.

– Ninguém em particular – disse ela e tomou outro gole de café.

Não queria interagir com ele.

Inclinando a cabeça para o lado, ele pôs a bandeja na mesa graciosamente para a garota e depois voltou para o seu lugar atrás do balcão. Ela pareceu ter ficado incomodada.

– Hum, por favor – ela chamou Nagare.

– Sim?

– Eu não pedi isso – respondeu a constrangida garota, apontando para a torrada na frente dela.

– É cortesia – informou Nagare com orgulho.

A menina olhou toda aquela comida gratuita sem acreditar. Ele descruzou os braços e se inclinou para a frente com as duas mãos no balcão.

– Você teve todo esse trabalho de vir do futuro... Uma menina como você não pode voltar para lá sem receber nada para comer – disse ele, talvez esperando ao menos um *obrigada*.

A garota, no entanto, apenas o encarou sem nem sequer sorrir. Nagare se sentiu no dever de questionar.

– Tem algo de errado? – perguntou, já um pouco nervoso.

– Não. Obrigada. Vou comer.

– Joia.

– Bem, por que eu não comeria?

A garota espalhou a manteiga na torrada com destreza e deu uma mordida esfomeada, mas mastigou bem devagar. Ela comia de uma maneira maravilhosa.

Nagare estava aguardando a reação dela. Como de costume, pensou, ela demonstraria sua satisfação após provar a famosa manteiga. Porém, ela não reagiu como ele esperava – a garota continuou comendo sem mudar de expressão. Ao terminar a torrada, ela começou a comer a salada e a devorar o iogurte com frutas.

Após acabar, apenas uniu as mãos em agradecimento pela refeição sem fazer um comentário sequer. Nagare estava arrasado.

DING-DONG

Era Kazu. Ela entregou a argola com o molho de chaves para Nagare, atrás do balcão.

– Estou de vol... – avisou, interrompendo-se ao notar a garota *naquela* cadeira.

– Oi – respondeu Nagare, guardando as chaves.

Ele não disse *"Olá, bem-vinda de volta"*, como costumava fazer.

Kazu agarrou o pulso dele e sussurrou:

– Quem é?

– Estou tentando descobrir – respondeu ele.

Normalmente, Kazu não prestava muita atenção em quem estava sentado ali. Quando aparecia um cliente, ela percebia com facilidade que a pessoa tinha vindo do futuro só para se encontrar com alguém. Ela não interferia.

No entanto, era a primeira vez que uma garota tão jovem e bonita se sentava ali. Kazu não pôde deixar de encará-la abertamente.

Seu olhar não passou despercebido.

– Oi! – disse a menina com um simpático sorriso.

A sobrancelha esquerda de Nagare se contorceu; estava irritado porque a garota não tinha sorrido daquele jeito para ele.

– Veio se encontrar com alguém? – perguntou Kazu.

– Pois é, acho que sim – admitiu ela.

Ao ouvir isso, Nagare pressionou os lábios um no outro. Ele tinha acabado de fazer a mesma pergunta, e a menina havia dito que não. Ele não estava achando a menor graça.

– Mas a pessoa não está aqui, não é? – observou, irritado, virando-se.

Então quem é que ela deseja encontrar?, perguntou-se Kazu enquanto tamborilava o dedo indicador no queixo.

– Hum… tem certeza de que não é ele?

Ela apontou o mesmo dedo indicador para Nagare.

Nagare apontou para si mesmo.

– Eu? – Então cruzou os braços e murmurou. – Hum, é…

Ele parecia estar tentando se lembrar das circunstâncias em que a garota havia aparecido.

Ela aparecera *naquela* cadeira cerca de dez minutos antes. Kei tinha precisado ir ao ginecologista, então Kazu a levara. Normalmente, Nagare levava Kei aos check-ups, mas hoje foi diferente.

Ele considerava os consultórios de ginecologia santuários exclusivos para mulheres, *onde nenhum homem jamais deveria pôr os pés*. Era por isso que estava cuidando do café sozinho.

(Será que ela escolheu um momento em que somente eu estaria trabalhando?)

Seu coração se alegrou ao pensar nisso.

(Então, talvez, ela tenha esperado até agora por estar com vergonha…)

Cutucando o queixo, fez que sim como se tudo fizesse sentido. Cruzou o balcão e se sentou na cadeira de frente para a garota.

Ela o encarou, inexpressiva.

Nagare não parecia a mesma pessoa de um momento atrás.

Se ela está sendo fria comigo só por timidez, vou tentar ser mais simpático, pensou e abriu um largo sorriso.

Inclinou-se para a frente, apoiando-se nos cotovelos de uma maneira descontraída.

– Então, era comigo que você queria se encontrar?

– Não.

– Não? Não era eu?

– Não mesmo.

– Não?

– Não!

A garota estava sendo firme. Kazu escutou a conversa e chegou a uma simples conclusão:

– Bem, não era mesmo com você.

Mais uma vez, Nagare ficou desanimado.

– Tudo bem… então não sou eu – disse ele tristemente enquanto se arrastava de volta até o balcão.

A garota pareceu achar isso divertido e soltou uma risadinha atrevida.

DING-DONG

Quando a campainha tocou, a garota olhou para o relógio do meio na parede. Era o único dos três que funcionava com precisão – afora ele, um girava rápido demais, e o outro, devagar demais. Ela devia saber disso e não tirava os olhos da porta.

Um instante depois, Kei entrou no café.

– Obrigada, querida Kazu – disse ela ao entrar.

Estava usando um vestido azul-piscina com sandálias de tiras. Abanava-se com um chapéu de palha. Tinha saído com Kazu, mas, pela sacola de compras que vinha carregando, devia ter passado na loja de conveniência ali perto antes de entrar no café. Kei era uma pessoa despreocupada por natureza. Sempre encantadora, sem jamais ser tímida, sentia-se à vontade com os clientes mais intimidantes; sabia ser simpática e extrovertida, mesmo quando se comunicava com algum estrangeiro que não falava japonês.

Quando Kei viu a menina sentada *naquela* cadeira, desejou com um sorrisão:

– Olá, seja bem-vinda.

Seu sorriso estava mais radiante do que o normal, e o tom da sua voz um pouco mais agudo.

A garota endireitou a postura na cadeira e abaixou um pouco a cabeça, olhando para Kei.

Kei respondeu com mais um sorriso e foi trotando até o cômodo dos fundos.

– E como foi lá? – perguntou Nagare para a esposa.

Considerando de onde Kei e Kazu tinham chegado, ele só podia estar querendo saber uma coisa. Kei deu um tapinha na barriga ainda lisa, fez o sinal da paz e sorriu.

– Ah. Que ótimo – disse ele.

Então, semicerrou os olhos ainda mais e fez que sim duas vezes. Quando Nagare se alegrava, não conseguia expressar sua felicidade abertamente. Como sabia muito bem disso, Kei observou a reação e ficou contente.

Com olhos muito observadores, a garota *naquela* cadeira assistiu à interação amistosamente. Kei não pareceu perceber que ela estava olhando e começou a se dirigir ao cômodo dos fundos para guardar sua bolsa.

Como se isso fosse uma espécie de deixa, a garota chamou com uma voz inesperadamente alta:

– Por favor?

Kei parou de imediato e respondeu sem pensar:

– Sim?

Virando-se, olhou para a garota com seus olhos redondos e brilhantes.

A garota protegeu os olhos, acanhada, e começou a mexer as mãos, inquieta.

– O que deseja? – perguntou Kei.

A garota olhou para cima como se realmente quisesse alguma coisa; seu sorriso era genuíno e terno. O jeito distante e frio como ela se comportara com Nagare havia desaparecido por completo.

– Hum. É que…

– Sim? O que deseja? – repetiu.

– Eu queria tirar uma foto com você.

Kei piscou os olhos, surpresa com as palavras.

– Comigo? – perguntou ela.

– Isso.

Nagare se intrometeu de imediato, apontando para Kei:

– Com ela?

– Isso mesmo – disse a garota, animada.

– Então era ela que você queria encontrar? – perguntou Kazu.

– Isso.

Os olhos de Kei resplandeceram após a confissão da garota desconhecida. Kei jamais suspeitava de estranhos quanto a segundas intenções. Então, em vez de perguntar quem era ela ou por que queria a foto, aceitou na mesma hora:

– Ah! Quer mesmo? Posso antes me pintar?

Então, tirou um estojo da bolsa de ombro e começou a retocar a maquiagem.

– Hum, não vai dar tempo – disse a garota com urgência.

– Ah… não, é claro.

Naturalmente, Kei também conhecia as regras. Suas bochechas coraram enquanto ela fechava o estojo.

A garota não podia ficar de pé ao lado de Kei como se costuma fazer ao pedir uma foto com alguém, pois a regra a proibia de sair *daquele* lugar. Kei entregou a sacola plástica da loja de conveniência e o chapéu de palha para Kazu e parou ao lado da garota.

– Cadê sua câmera? – perguntou Kazu.

A garota empurrou algo para ela por cima da mesa.

– Hã? Isso aí é uma câmera?! – perguntou Kei surpresa enquanto Kazu olhava a câmera que pegara.

Era do tamanho de um cartão de visitas. Era semitransparente e fina como papel, parecendo mais um cartão de crédito.

Kei ficou fascinada. Olhou-a mais de perto de todos os ângulos.

– Mas que finura!

– Hum, precisamos ser rápidas. O tempo está quase acabando – disse calmamente a garota para Kei.

– Claro, me desculpe – pediu Kei, dando de ombros e parando ao lado dela outra vez.

– Tá, posso tirar agora?

Kazu apontou a câmera para as duas. Não parecia difícil de usar; ela só fez apertar o botão que apareceu na tela.

Click.

– Avisa quando você for tirar? – pediu Kei.

Kazu já tinha tirado a foto enquanto Kei ajeitava os cabelos e arrumava a franja. Kazu devolveu a câmera para a garota.

– Já tirou? Quando?

A garota e Kazu eram superpragmáticas. Somente Kei estava confusa, cheia de perguntas na cabeça.

– Muito obrigada – agradeceu a garota e tomou na mesma hora o resto do café.

– O quê...? Só um minutinho – pediu Kei.

Mas a garota se transformou em vapor. À medida que o eflúvio subia em direção ao teto, a mulher de vestido aparecia debaixo dele. Parecia um truque de transformação digno de um ninja.

Como todos os três estavam acostumados a tais acontecimentos, ninguém ficou particularmente surpreso. Se algum cliente visse aquilo um dia, acharia que era truque de mágica – mas se perguntassem aos funcionários do café como eles faziam a coisa, eles não saberiam responder.

A mulher de vestido estava lendo seu romance casualmente, como se nada tivesse acontecido. Porém, ao perceber a bandeja, empurrou-a com a mão direita, o que claramente significava: *Tirem isso daqui!*

Ao que Kei retirou a bandeja, Nagare pegou-a das mãos dela, inclinou a cabeça para o lado e entrou na cozinha.

– Quem será que era aquela menina? – murmurou Kei.

Ela pegou a sacola plástica e o chapéu de palha com Kazu e foi para o cômodo dos fundos.

Kazu continuou encarando *aquela* cadeira, a tal onde a mulher de vestido estava sentada. Pela cara dela, era evidente que algo a incomodava.

Era a primeira vez que um cliente vinha do futuro para se encontrar com Nagare, Kei ou Kazu. Parecia que nunca havia um bom motivo para alguém voltar no tempo a fim de ver um dos funcionários do café, que estavam sempre lá.

Porém, uma garota acabara de aparecer do futuro para se encontrar com Kei.

Kazu não perguntava por que a pessoa tinha vindo do futuro. Mesmo que, digamos, um assassino voltasse no tempo, ela teria um bom motivo para deixá-lo em paz: a regra dizia que o presente não mudava, por mais que a pessoa tentasse reorganizar as coisas no passado. Essa regra nunca, jamais poderia ser descumprida. Sempre haveria uma série de acontecimentos aleatórios que impediria o presente de mudar. Se, só por exemplo, um atirador viesse do futuro e matasse um cliente, contanto que o cliente estivesse vivo no futuro, ele não poderia morrer, mesmo que tivesse levado um tiro no coração.

Assim era a regra.

Kazu ou quem quer que fosse chamaria a ambulância ou a polícia. A ambulância chegaria a tempo no café. Não ficaria presa no trânsito. Iria da emergência para o café e levaria o paciente do café ao hospital percorrendo a menor distância possível no menor tempo. Ao ver o paciente, um funcionário do hospital poderia dizer: "Acho que não vai dar para salvá-lo". Ainda assim, apareceria um dos melhores cirurgiões do mundo, que por acaso estava visitando o hospital, e operaria o paciente. Mesmo que o sangue da vítima fosse raro e somente uma a cada dez mil pessoas o tivesse, haveria um estoque dele no hospital. A equipe cirúrgica seria excelente e a operação, um sucesso. Talvez o cirurgião dissesse que, caso a ambulância tivesse chegado um minuto depois, ou caso a bala houvesse atingido um milímetro à esquerda, o paciente não teria sobrevivido. Toda a equipe diria que fora um milagre o paciente ter se salvado. Mas não era milagre. Era por causa da regra que determinava que o homem que levou o tiro no passado precisava sobreviver.

Por conta disso, Kazu não se incomodava com quem vinha do futuro, tampouco com os motivos da pessoa. Tudo que o visitante do futuro tentasse seria em vão.

– Pode fazer isso por mim, por favor? – chamou Nagare da cozinha.

Kazu se virou e viu Nagare parado na porta da cozinha segurando a bandeja com o café preparado para a mulher de vestido. Ela pegou a bandeja e começou a carregá-la para a mesa a que a mulher se encontrava sentada.

Encarou-a por um instante, enquanto certos pensamentos rondavam sua cabeça. *Por que foi que aquela garota viajou no tempo? Se era apenas para tirar uma foto com Kei, por que ela se deu ao trabalho de voltar para o passado?*

– Olá, seja bem-vindo! – exclamou Nagare.

Kazu reorganizou seus pensamentos e serviu o café.

(Parece que tem algo importante que eu não estou captando.)

Para se livrar dessa sensação, Kazu balançou levemente a cabeça.

– Olá – disse Kohtake após entrar no café.

Ela estava a caminho de casa depois do trabalho.

Vestia uma camisa polo verde-limão, uma saia branca e escarpins pretos. Trazia uma bolsa de tecido pendurada no ombro.

– Olá, Kohtake – retrucou Nagare.

Ao ouvir seu nome, ela se virou como se fosse embora.

– Ah, perdão. Sra. Fusagi – corrigiu-se.

Kohtake sorriu aprovando e sentou-se ao balcão.

Fazia três dias que Kohtake tinha voltado ao passado e recebido a carta que Fusagi escrevera mas nunca lhe entregara. Agora insistia em só ser chamada de "Sra. Fusagi".

Ela pendurou a bolsa no encosto do banco.

– Um café, por favor – pediu.

– É pra já – disse Nagare, abaixando a cabeça e se virando para a cozinha a fim de prepará-lo.

Olhou o ambiente vazio, deu de ombros e respirou fundo. Tinha planejado acompanhar Fusagi no caminho para casa se ele estivesse no café, então ficou um pouco decepcionada. Kazu, que assistira à interação entre Nagare e Kohtake com um sorriso, terminara de servir a mulher de vestido.

– É meu intervalo agora – avisou Kazu e foi ao cômodo dos fundos.

– Ok – respondeu Kohtake e acenou para ela.

Era início de agosto, e o verão estava no auge.

Kohtake, contudo, gostava de tomar café quente mesmo no verão. Adorava sentir o aroma de quando a bebida tinha acabado de ser preparada. Não seria capaz de desfrutar de um café gelado da mesma maneira. O café era uma bebida muito mais prazerosa bem quentinho.

Quando Nagare fazia café, costumava prepará-lo usando o método do sifão. Ele servia a água fervente num globo de vidro, depois o aquecia para que o vapor subisse até o outro recipiente e extraísse o líquido negro dos grãos moídos. Porém, quando fazia café para Kohtake e para certos fregueses, Nagare preparava café coado. Colocava um filtro de papel no coador, acrescentava os grãos moídos e punha água fervente por cima deles. Ele achava que coar o café permitia mais flexibilidade, pois assim era possível mudar o amargor e a acidez da bebida alterando a temperatura da água e a maneira como ela seria adicionada. Como não havia música ambiente, era possível ouvir o barulhinho do café pingando gota a gota dentro do recipiente. Ao escutar o som, Kohtake sorria satisfeita.

Kei costumava usar uma cafeteira automática. A máquina tinha um só botão para cada modo de preparo. Isso permitia que o preparo fosse adaptado a diferentes paladares. Como Kei não era mestre na arte de preparar café, preferia depender da máquina. Assim, os fregueses que vinham para tomar um café especialmente preparado, não o pediam quando Nagare não estava. Afinal, o preço era o mesmo, quer fosse preparado por Nagare ou Kei. Kazu geralmente usava o método do sifão, mas não devido ao gosto. Sentia prazer em ver a água quente subindo pelo funil. Além disso, Kazu achava entediante demais preparar café coado.

Kohtake foi servida com o café preparado especialmente por Nagare. Com a bebida em sua frente, ela fechou os olhos e inspirou fundo. Era seu momento de alegria. Por insistência dele, o café tinha sido feito com grãos moca, que tinham um aroma distinto; os apreciadores ora amavam, ora detestavam. Aqueles que gostavam do aroma, como Kohtake, achavam-no maravilhoso. Na verdade, era possível dizer que o café escolhia os clientes. Tal como com sua manteiga, Nagare gostava de observar os clientes apreciarem a qualidade. Enquanto os fitava, seus olhos se semicerravam ainda mais.

– A propósito – disse Kohtake enquanto desfrutava de seu café, como se, de repente, tivesse lembrado de algo –, notei que Hirai não abriu o bar nem ontem nem hoje. Sabe algo a respeito disso?

O bar que Hirai administrava, uma espécie de mini *hostess bar* – ou host club –, ficava a apenas alguns metros do café.

Era um estabelecimento pequeno, com somente um balcão e seis assentos, mas estava sempre movimentado. Ele abria em diferentes horários à noite, dependendo do humor de Hirai, mas abria sete noites por semana, o ano inteiro. Desde que o inaugurara, funcionara todas as noites, sem exceção. Muitas vezes os clientes ficavam esperando na porta até abrir. Algumas noites, até dez pessoas se espremiam lá dentro. Apenas os primeiros seis clientes sentavam-se em bancos para beber.

E os clientes não eram só homens. Hirai também fazia sucesso com as mulheres. Seu jeito franco de falar às vezes feria o orgulho dos clientes, mas eles sabiam que não era por mal e nunca se ressentiam. Sempre se sentiam à vontade com ela; Hirai tinha o dom de poder dizer qualquer coisa e se safar. Vestia-se de maneira chamativa e não estava nem aí para o que os outros achavam. Porém, valorizava os bons modos e a etiqueta. Escutava tudo que qualquer pessoa tivesse a dizer. Se achasse que um cliente estava errado, no entanto, mesmo que ele fosse da nata da sociedade, ela o corrigia sem nenhum receio. Alguns eram generosos com dinheiro, mas Hirai só aceitava o pagamento das bebidas. Outros tentavam cair nas suas boas e belas graças lhe dando presentes caros, mas ela jamais os aceitava. Certos homens chegavam a se oferecer para comprar uma casa ou um apartamento para ela, uma Mercedes ou uma Ferrari, diamantes e coisas assim, mas Hirai simplesmente dizia "Eu não estou interessada". Até mesmo Kohtake já havia visitado o bar. Um local onde a diversão era garantida enquanto se bebia uns drinques.

Kohtake percebera que o bar de Hirai, normalmente tão lotado, tinha fechado por duas noites seguidas, e nenhum cliente sabia o motivo. Acabou ficando preocupada.

– O que houve? – perguntou ela, um pouco assustada.

Assim que ela falou de Hirai, o rosto de Nagare ficou sério.

– Foi a irmã. Acidente de carro – disse ele baixinho.

– Ah, não!

– Por isso precisou ir para casa.

– Puxa, que droga!

Kohtake ficou encarando o café pretíssimo. Conhecia Kumi, a irmã caçula de Hirai, de quando ela visitava e tentava fazer Hirai – que não falava mais com a família – voltar para casa. No último ano ou dois, Hirai vinha se incomodando tanto com as visitas frequentes que, na maioria das vezes, evitava encontrá-la. Mesmo assim, Kumi ia a Tóquio quase todo mês. Três dias atrás, Kumi aparecera no café para ver Hirai. O acidente ocorreu quando ela estava voltando para casa.

O pequeno carro que ela dirigia bateu de frente com um caminhão cujo motorista devia ter cochilado. Kumi foi levada de ambulância ao hospital, mas, no trajeto, não resistiu.

– Que notícia terrível – completou Kohtake.

Acabou que ela nem tocou no café. A discreta fumacinha que subia da bebida havia desaparecido. Nagare estava parado, de braços cruzados, encarando os próprios pés em silêncio.

Ele recebera um e-mail de Hirai em seu celular. Ela provavelmente havia tentado contatar Kei, mas Kei não tinha celular. No e-mail, Hirai contava alguns detalhes do acidente e mencionava que o bar ficaria fechado por algum tempo. O e-mail tinha sido escrito com um tom factual, como se aquilo tivesse acontecido com uma pessoa qualquer. Kei usara o celular de Nagare para responder e perguntou como Hirai estava, mas ela não deu retorno. O hotel, nos arredores de Sendai, chamava-se Takakura, que significa "Tesouro".

Sendai era um destino turístico popular, famoso particularmente pelo seu belo Festival do Tanabata. O festival é mais conhecido pelo seu sasakazari: uma torre de bambu de cerca de dez metros de altura, a que são presas cinco bolas gigantes de papel com fitas coloridas também de papel. Os turistas buscam as decorações do festival – fitas coloridas de papel, quimonos de papel e grous de origami – para usá-las como amuletos da sorte e para abençoar seus negócios. O festival é realizado entre 6 e 8 de agosto, o que significava que, em alguns dias, teria início a preparação da decoração no Centro da cidade, ao redor da estação de Sendai. Como dois milhões de turistas compareciam ao festival de três dias, Tanabata era o período mais movimentado para o Takakura, pois se situava a cerca de dez minutos de táxi da estação de Sendai.

DING-DONG

– Olá! Seja bem-vindo – disse Nagare alegremente, acabando com o clima sombrio no café.

Ao ouvir a campainha, Kohtake aproveitou para ficar um pouco mais à vontade e finalmente beber seu café.

– Olá. Seja bem-vindo – disse Kei, saindo de avental do cômodo dos fundos assim que ouviu a campainha, mas ainda não havia ninguém.

Estava demorando mais do que o normal para o cliente aparecer dentro do café, entretanto, quando Nagare inclinou a cabeça para o lado, curioso, uma voz familiar exclamou:

– Nagare! Kei! Alguém! Preciso de sal! Tragam sal pra mim!

– Hirai, é você?

Ninguém esperava que ela fosse voltar tão rápido, logo após o velório da irmã. Kei encarou Nagare de olhos arregalados de espanto. Nagare ficou parado por um instante, confuso. Como acabara de contar a Kohtake a terrível notícia sobre Kumi, ouvir a voz normalmente estridente de Hirai deve ter sido um pouco desorientador.

Talvez Hirai quisesse o sal para uma purificação espiritual. No entanto, mais parecia alguém gritando de uma cozinha onde um jantar estava sendo freneticamente preparado.

– Rápido! – gritou Hirai, agora com um tom grave e imperativo.

– Tá bem! Só um segundinho.

Nagare finalmente se mexeu. Pegou um pequeno saleiro na cozinha e foi rapidamente até a entrada. Kohtake imaginou que Hirai estivesse logo atrás da porta, como sempre com suas roupas chamativas. Para ela, o comportamento de Hirai foi um tanto inesperado. *Como pode… a irmã não acabou de morrer?* Kohtake e Kei se entreolharam – Kei parecia estar pensando o mesmo.

– Tô no bagaço… – disse Hirai, arrastando os pés para dentro do café.

Era o seu jeito habitual de andar, mas vestia um traje bem insólito. Não eram suas roupas chamativas, vermelhas e rosa, mas um vestido preto de luto. Em vez da cabeça cheia de rolos, os cabelos estavam presos em um coque apertado. Qualquer um diria que nem parecia ela. Sentou-se à mesa do meio e ergueu o braço direito.

– Desculpe o incômodo, mas pode me trazer um copo d'água, por favor? – pediu ela a Kei.

– Claro – respondeu Kei.

Com um senso de urgência um tanto exagerado, ela foi pegar a água na cozinha.

– Ufa – disse Hirai.

Então, estendeu os braços e as pernas como se fosse fazer polichinelo. Sua bolsa preta estava pendurada no braço direito. Nagare, ainda segurando o saleiro, e Kohtake, sentada ao balcão, encararam-na devido à estranhíssima forma como Hirai estava se comportando. Kei voltou com o copo d'água.

– Obrigada – agradeceu Hirai.

Pôs a bolsa sobre a mesa, pegou o copo e, para a surpresa de Kei, tomou-o de um gole só e soltou um suspiro de exaustão.

– Mais um, por favor – pediu, entregando o copo a Kei.

Kei pegou o copo e foi para a cozinha. Enxugando o suor da testa, Hirai suspirou outra vez. Nagare ficou ali parado, observando-a.

– Hirai? – chamou ele.

– O quê?

– Como eu devo...

– Deve o quê?

– Como é que se diz... Eu...

– O quê?

– Meus sentimentos.

O jeito estranho de Hirai – tão diferente de uma pessoa enlutada – tinha até feito Nagare esquecer o que deveria ser dito. Kohtake também não sabia o que falar e abaixou a cabeça.

– Está se referindo a Kumi?

– Sim, claro.

– Bem, foi mesmo inesperado. Pura falta de sorte, acho que é isso que você diria – falou Hirai, dando de ombros.

Kei voltou com outro copo d'água. Preocupada com o comportamento de Hirai, ela lhe entregou o copo e também abaixou a cabeça, demonstrando desconforto e pesar.

– Desculpe. Obrigada. – De novo, Hirai bebeu a água toda de uma vez. – Disseram que ela foi atingida no lugar errado... então... não teve sorte – explicou Hirai.

Parecia que ela estava falando de algo que tinha acontecido com uma desconhecida. Kohtake franziu mais a testa e se inclinou para a frente.

– Foi hoje?

– O quê?

– O velório, ora – respondeu Kohtake, revelando sua inquietação com a atitude de Hirai.

– Foi. Vejam só isso – disse Hirai enquanto se levantava e dava uma voltinha para mostrar a roupa que tinha usado no velório. – Combina comigo, né? Não acham que fico com uma aparência um pouco mais suave?

Hirai fez poses de modelo, inclusive com um certo orgulho estampado no rosto.

A irmã havia falecido. A não ser que as pessoas no café estivessem enganadas a respeito desse fato, sua empolgação parecia um absurdo.

Como estava ficando cada vez mais irritada com a atitude blasé de Hirai, Kohtake disparou palavras mais fortes:

– Por que diabos voltou tão rápido? – perguntou ela, com sinais de repugnância no rosto, como se estivesse mordendo a língua e se segurando para não dizer: *Não acha uma total falta de respeito com sua finada irmã?*

Hirai abandonou a pose exagerada e sentou-se de novo, preguiçosamente.

Então ergueu as mãos.

– Calma aí, eu também preciso pensar no meu bar... – respondeu, entendendo claramente o que Kohtake queria dizer.

– Mas mesmo assim...

– Por favor. Esquece isso.

Hirai estendeu a mão para a bolsa e tirou um cigarro de dentro.

– Então você está bem? – perguntou Nagare, brincando com o saleiro nas mãos.

– Bem com o quê?

Hirai hesitava em desabafar. Com o cigarro na boca, ela ficou olhando o interior da bolsa de novo à procura do seu isqueiro, mas não parecia estar conseguindo encontrá-lo.

Nagare tirou o dele do bolso e o ofereceu a ela.

– Mas seus pais devem estar arrasados com a morte da sua irmã... Não devia ter ficado mais um pouco com eles?

Hirai pegou o isqueiro de Nagare e acendeu o cigarro.

– Bem, é claro... normalmente é isso que se faz.

O cigarro começou a queimar e brilhou. Hirai bateu as cinzas no cinzeiro. A fumaça do cigarro subiu e desapareceu. Ela ficou observando a fumaça subir e desaparecer.

– Mas eu não tinha onde ficar – disse, inexpressiva.

Por um instante, ninguém entendeu o que ela tinha dito. Nagare e Kohtake a olharam, sem compreender.

Hirai notou a maneira como eles a encaravam.

– Não tinha lugar para mim lá – acrescentou e tragou o cigarro de novo.

– Como assim? – falou Kei com um olhar preocupado.

Ao responder à pergunta de Kei, Hirai se expressou como se estivesse falando de algo comum.

– O acidente aconteceu quando ela estava voltando para casa depois que veio aqui me encontrar, não foi? Então, naturalmente, meus pais me culparam pela morte dela.

– Como eles podem achar isso? – perguntou Kei e ficou boquiaberta.

Hirai soprou a fumaça no ar.

– Bem, é o que eles acham... e, de certa maneira, é verdade – murmurou com indiferença. – Ela veio para Tóquio tantas vezes... e eu sempre a mandava embora.

Da última vez, Kei até ajudara Hirai a se esconder para evitar Kumi. Kei olhou para baixo, arrependida. Hirai continuou falando, sem perceber a reação de Kei.

– Nenhum dos dois quis falar comigo. – O sorriso de Hirai desapareceu. – Não dirigiram sequer uma palavra a mim.

* * *

Hirai soubera da morte de Kumi pela principal garçonete do hotel de seus pais, que trabalhava com eles havia muito tempo. Fazia anos que Hirai não recebia uma ligação do Takakura. No entanto, dois dias atrás, de manhã cedo, o número do hotel surgiu no seu celular. Ao ver de onde era, seu coração parou e ela atendeu. A única coisa que conseguiu responder para a garçonete chorosa que estava ligando foi "Entendi", e depois desligou. Em seguida, pegou sua bolsa e foi de táxi para a casa de sua família.

O taxista disse que tinha trabalhado no ramo do entretenimento. No trajeto, ele fez uma apresentação não solicitada de suas piadas. Suas histórias eram inesperadamente engraçadas, e ela rolou de rir no banco de trás. Gargalhou intensamente, com lágrimas escorrendo pelas bochechas. Por fim, o táxi parou na frente do hotel Takakura, lar da família de Hirai.

Ficava a cinco horas de Tóquio, e a corrida deu mais de 150 mil ienes, mas, como ela ia pagar em dinheiro, o taxista disse que poderia ser esse valor redondo mesmo e foi embora feliz da vida.

Ao sair do táxi, ela percebeu que ainda estava de pantufas. Também estava com rolos no cabelo. Como vestia apenas uma blusa de alcinha, sentiu toda a força do sol quente da manhã. Quando grandes gotas de suor começaram a escorrer pela testa, desejou ter um lenço. Começou a seguir pelo caminho de cascalho até a casa da família, nos fundos do hotel. A casa era de estilo japonês e não tinha sido alterada em nada desde que fora construída, junto com o hotel.

Ela passou pelo portão coberto com telhado e chegou à entrada principal. Fazia treze anos que não ia ali, mas nada tinha mudado. A seu ver, parecia um lugar onde o tempo havia parado. Ela tentou abrir a porta de correr. Estava destrancada.

A porta chacoalhou ao ser aberta, e Hirai adentrou o interior de concreto. Estava frio. O ar gélido fez suas costas ficarem arrepiadas. Seguiu pelo corredor até a sala de estar.

O cômodo estava completamente escuro, sem nenhum sinal de vida. Era normal. Os cômodos das antigas casas japonesas costumam ser escuros, mas ela achou aquela escuridão opressora. O corredor estava em total silêncio, exceto pelo ruído dos seus passos. O altar da família ficava em uma sala no final do corredor.

Ao olhar para a sala do altar, viu que a varanda estava aberta. Lá ela também viu as costas pequenas e arredondadas de Yasuo, seu pai. Ele estava sentado na beirada, contemplando o jardim verde e viçoso.

Kumi se encontrava deitada na sala, em silêncio. Vestia uma túnica branca, e por cima havia o quimono rosa usado pela gerência do hotel. Yasuo devia ter acabado de sair do lado dela, pois sua mão ainda segurava o tecido branco que normalmente cobria o rosto do falecido. Sua mãe, Michiko, não estava lá.

Hirai se sentou e fitou o rosto de Kumi. Estava tão sereno que a irmã parecia estar apenas dormindo. Ao tocar delicadamente no seu rosto, sussurrou "Graças a Deus". Se estivesse muito machucado, o corpo teria sido posto no caixão e enrolado como uma múmia. Era nisso que estava pensando enquanto olhava o belo rosto de Kumi. Ela estava preocupada com isso pois sabia que tinha sido uma colisão frontal com um caminhão. Seu pai, Yasuo, continuava contemplando o jardim do pátio.

– Pai... – disse Hirai para as costas de Yasuo.

Seria a primeira conversa com o pai desde que ela saíra de casa havia treze anos.

Porém, Yasuo continuou sentado de costas para ela, e sua única reação foi um fungado. Hirai olhou o rosto de Kumi por mais um instante, depois se levantou devagar e, em silêncio, saiu da sala.

Hirai foi para o Centro de Sendai enquanto os preparativos para o Festival do Tanabata eram realizados. Com rolos no cabelo, passou o dia se arrastando pelas calçadas, ainda de pantufas e de blusa de alcinha. Comprou algo para vestir no velório e encontrou um hotel.

No dia seguinte, no velório, Hirai viu a mãe ser forte ao lado do seu pai, que caíra em prantos. Em vez de se sentar nos bancos reservados aos familiares, ela ficou com o restante das pessoas. Fez contato visual com a mãe apenas uma vez, mas as duas não disseram nada uma para a outra. A cerimônia foi realizada normalmente. Hirai ofereceu incenso, mas foi embora sem falar com ninguém.

A barra de cinzas do cigarro de Hirai cresceu e caiu silenciosamente. Ela assistiu cair.

– Pois é, foi isso – disse ela, apagando o cigarro.

Nagare estava de cabeça baixa. Kohtake estava sentada e imóvel, com a xícara na mão.

Kei olhou diretamente para Hirai com preocupação.

Hirai viu os três rostos e suspirou.

– Não sei lidar muito bem com essas coisas sérias – disse ela exasperada.

– Hirai… – começou Kei, mas Hirai acenou para que ela parasse.

– Então… eu não quero saber dessas caras tristes, e… dá pra parar de perguntar se estou bem? – implorou Hirai.

Ela percebeu que Kei queria dizer alguma coisa. Portanto continuou falando.

– Pode não parecer, mas estou péssima. Porém, pessoal, eu preciso superar isso e dar o meu melhor, não é mesmo?

Ela falou como se estivesse tentando consolar uma criança chorando. Era assim que Hirai era – impenetrável até o fim. Se fosse Kei em seu lugar, passaria dias chorando. Caso fosse Kohtake, obedeceria ao período de luto, lamentaria a morte do falecido e agiria com sobriedade. Entretanto, Hirai não era Kei, tampouco Kohtake.

– Vou ficar de luto do meu jeito. Cada pessoa reage de forma diferente – disse Hirai e depois se levantou e pegou a bolsa. – Então é isso – prosseguiu ela e começou a se dirigir para a porta.

– Por que resolveu passar aqui no café agora? – murmurou Nagare como que falando sozinho.

Hirai congelou como um quadro de *stop-motion*.

– Por que passou aqui em vez de ir direto para o seu bar? – perguntou ele sem rodeios, ainda de costas para ela.

Hirai continuou parada, em silêncio, por mais um instante.

– Boa pergunta.

Hirai suspirou. Virou-se e voltou para onde estava sentada.

Nagare não a olhou. Ele apenas continuou encarando o saleiro em suas mãos.

– Hirai – disse Kei, aproximando-se com um envelope nas mãos. – Ainda estou com a carta.

– Não jogou fora?

Reconheceu-a de imediato. Tinha certeza de que era a que Kumi escrevera e deixara no café três dias atrás. Hirai pedira a Kei para jogá-la fora sem ao menos ter lido.

Sua mão tremeu ao pegá-la – era a última carta que Kumi tinha escrito na vida.

– Eu nunca imaginei que fosse te entregar isso nessas circunstâncias – disse Kei abaixando a cabeça como quem se desculpa.

– Não, é claro que não... obrigada – agradeceu Hirai.

Retirou a carta dobrada ao meio do envelope não colado.

O início dizia exatamente o que Hirai imaginava; era sempre a mesma história. Porém, mesmo que o texto contivesse a mesma ladainha irritante, uma solitária lágrima escorreu; Hirai nem terminou de ler.

– E eu nem falei com ela... e agora acontece isso – disse, fungando. – Mas ela nunca desistiu de mim. Ela vinha para Tóquio me ver com certa frequência.

Na primeira vez que foi visitar a irmã em Tóquio, Hirai tinha 24 anos e Kumi, 18. Porém, na época, Kumi era a irmã caçula fofinha que entrava em contato de vez em quando sem que seus pais soubessem. Ainda no ensino médio, Kumi já havia começado a ajudar no hotel quando não estava no colégio. Quando Hirai saiu de casa, os pais transferiram imediatamente suas expectativas para Kumi. Antes mesmo de se tornar maior de idade, já representava o rosto do velho hotel, a futura proprietária. Foi então que começaram as tentativas de Kumi de convencer Hirai a voltar para a família. Apesar de estar sempre ocupada com suas inúmeras responsabilidades, Kumi encontrava tempo para visitar Tóquio uma vez a cada dois meses. No início, quando Hirai ainda enxergava Kumi como sua irmãzinha fofa, ela a encontrava e escutava o que tinha a dizer. No entanto, chegou um momento em que Hirai passou a ver os pedidos de Kumi mais como uma imposição irritante. No último ano, ou nos últimos dois anos na verdade, Hirai a evitara completamente.

Da última vez, havia se escondido da irmã exatamente no café e tentara jogar fora o que Kumi tinha escrito. Ela pôs de volta no envelope a carta que Kei guardara.

– Eu sei a regra. O presente não muda, por mais que se tente. Entendo totalmente. Mas eu quero voltar para aquele dia.

Todos ficaram sem palavras.

– Estou implorando! – exclamou Hirai, com o rosto mais sério do que nunca, e abaixou bastante a cabeça.

Os olhos puxados de Nagare semicerraram-se ainda mais enquanto observava Hirai encurvada daquele jeito. Naturalmente, Nagare sabia de que dia Hirai estava falando: três dias atrás, quando Kumi esteve no café. Estava pedindo para voltar no tempo e encontrá-la. Kei e Kohtake aguardavam ansiosamente a resposta de Nagare. O café foi tomado por um silêncio assustador. Somente a mulher de vestido continuava agindo como se tudo corresse na normalidade, e lia seu romance.

Plop.

O som de Nagare colocando o saleiro no balcão ecoou pelo café.

Então, sem dizer nada, afastou-se e entrou no cômodo dos fundos.

Hirai ergueu a cabeça e respirou profundamente.

Do cômodo dos fundos, era possível ouvir a voz de Nagare chamando Kazu.

– Mas Hirai…

– Sim, eu sei.

Hirai interrompeu Kohtake para não precisar ouvir o que ela tinha para dizer. Aproximou-se da mulher de vestido.

– Hum, como eu estava dizendo para o pessoal… será que dá para eu me sentar aí, por favor?

– Hi-Hirai! – exclamou Kei freneticamente.

– Pode fazer isso por mim? Por favor!

Ignorando Kei, Hirai uniu as mãos como se estivesse rezando para algum deus. Ela parecia um pouco ridícula, mas aparentava estar falando realmente a sério.

No entanto, a mulher de vestido sequer se retraiu. Hirai se zangou.

– Ei! Não tá me ouvindo? Não fique aí simplesmente me ignorando. Acha que pode me impedir de sentar aí? – disse ela, encostando a mão no ombro da mulher.

– Não, Hirai! Pare! Não faça isso.

– Por favor!

Hirai não estava ouvindo Kei. Tentou puxar o braço da mulher à força e pegar o lugar dela.

– Hirai, pare! – gritou Kei.

Porém, naquele momento, os olhos da mulher de vestido se arregalaram e ela fulminou Hirai. Na mesma hora, Hirai foi tomada pela sensação de que estava ficando mais pesada, cada vez mais. Era como se a gravidade da Terra tivesse começado a se multiplicar. De repente, o lugar pareceu estar somente à luz de velas bruxuleando ao vento, e um sinistro uivo fantasmagórico reverberou por todo o café, sem dar sinal algum de sua origem. Sem conseguir mexer nenhum músculo, Hirai caiu de joelhos.

– O que... o que é isso?

– Quem mandou não me escutar... – suspirou Kei dramaticamente, com um tom de "bem feito".

Hirai conhecia as regras, mas não sabia da tal maldição. Tinha reunido as informações passadas a outros clientes que queriam viajar no tempo, e eles costumavam desistir da ideia após ouvir as regras demasiadamente complicadas.

– Ela é um demônio... uma bruxa... uma... – gritou.

– Não, ela é apenas um fantasma – interrompeu Kei friamente.

Do chão, Hirai insultava a mulher aos berros, mas de nada adiantava.

– Eita! – exclamou Kazu ao sair do cômodo dos fundos.

Bastou uma olhadela para entender o que tinha acontecido. Kazu voltou para a cozinha e de lá saiu carregando uma jarra cheia de café. Foi até a mulher de vestido.

– Gostaria de mais café? – perguntou.

– Sim, por favor – respondeu a mulher de vestido, e Hirai foi libertada.

Estranhamente, Kazu era a única capaz de acabar com a maldição; quando Kei ou Nagare tentaram, não funcionou. Agora livre, porém bastante ofegante, Hirai voltou ao normal. Parecendo exaurida, sugada pelo seu suplício, virou-se para Kazu.

– Kazu, querida. Por favor, diga alguma coisa para ela. Faça ela sair daí! – exclamou Hirai.

– Tá, eu sei pelo que você está passando, Hirai.

– Então pode fazer alguma coisa?

Kazu encarou a jarra que estava segurando. Então, pensou por alguns instantes.

– Não sei se vai dar certo...

Hirai estava desesperada para tentar o que fosse.

– Pode ser qualquer coisa! Por favor, faça isso por mim! – implorou ela novamente com as mãos unidas em prece.

– Tudo bem, vamos tentar.

Kazu se aproximou da mulher de vestido. Com a ajuda de Kei, Hirai pôs-se de pé outra vez e ficou olhando para ver o que ia acontecer.

– Gostaria de mais café? – perguntou novamente Kazu, apesar de a xícara estar cheia até a boca.

Hirai e Kohtake inclinaram a cabeça para o lado, sem entender o que Kazu estava fazendo.

Mas a mulher de vestido respondeu à pergunta.

– Sim, por favor – retorquiu e tomou o café inteiro que tinha acabado de ser servido para ela momentos antes.

Então, Kazu encheu a xícara vazia com mais. A mulher de vestido voltou a ler seu romance como se nada fora do normal tivesse acontecido.

E em seguida, logo depois...

– Gostaria de mais café? – perguntou Kazu outra vez.

A mulher de vestido ainda não tocara na bebida desde o último refil; a xícara continuava totalmente cheia.

Mesmo assim, ela respondeu:

– Sim, por favor.

E virou o café inteiro.

– Bem, quem poderia imaginar... – disse Kohtake, com a expressão mudando lentamente à medida que entendia o que Kazu estava fazendo.

Kazu continuou com seu estranho plano. Após encher a xícara, ela perguntava de novo:

– Gostaria de mais café?

Continuou fazendo isso, e, sempre que perguntava, a mulher de vestido respondia "Sim, por favor", e o bebia. Porém, após um tempo, a mulher pareceu sentir algum desconforto.

Em vez de tomar o café de uma vez só, ela começou a dar vários golinhos para acabar com a bebida. Com esse método, Kazu conseguiu fazê-la beber sete xícaras de café.

– Ela parece tão desconfortável... Por que simplesmente não nega? – comentou Kohtake, compadecendo-se da mulher de vestido.

– Ela não pode recusar – sussurrou Kei no ouvido de Kohtake.

– Por que não?

– Porque aparentemente a regra é assim.

– Meu Deus... – reagiu Kohtake, surpresa com o fato de que não era somente quem queria voltar no tempo que precisava seguir regras irritantes.

Ela continuou olhando, ansiosa para descobrir o que ia acontecer. Kazu serviu um oitavo café, enchendo tanto a xícara que quase transbordou. A mulher de vestido fez uma careta. Mas Kazu se mostrava incansável.

– Gostaria de mais café?

Quando Kazu ofereceu a nona xícara, a mulher de vestido se levantou da cadeira de repente.

– Ela se levantou! – exclamou Kohtake entusiasmada.

– Toalete – murmurou a mulher, fulminando Kazu com o olhar, e depois se dirigiu ao banheiro.

Alguma coerção tinha sido usada, mas *aquela* cadeira agora estava livre.

– Obrigada – agradeceu Hirai, cambaleando para a cadeira onde a mulher de vestido estava.

O nervosismo de Hirai parecia afetar todos no café. Inspirou bem fundo, expirou devagar e deslizou entre a cadeira e a mesa. Sentou-se e, delicadamente, fechou os olhos.

Kumi Hirai, desde pequena, era a caçula que sempre seguia a irmã mais velha, chamando-a de "maninha" pra cima e pra baixo.

Sempre havia movimento no velho hotel, não importava a estação. Os pais já eram os proprietários.

Sua mãe, Michiko, voltou a trabalhar assim que ela nasceu. Muitas vezes, cabia a Hirai, de seis anos, cuidar da irmã ainda bebê. Quando começou o ensino fundamental, Hirai a levava nas costas para a escola. Era uma escola rural, e os professores eram compreensivos. Se a bebê começava a chorar, Hirai saía da sala de aula com ela para consolá-la. Na escola, Hirai era uma irmã mais velha e responsável, que cuidava da irmã mais nova com zelo.

Os pais de Hirai nutriam grandes expectativas em relação a ela, a filha que era naturalmente sociável e simpática. Yasuo e Michiko achavam que Hirai se tornaria uma excelente gerente do hotel. Porém, subestimaram as complexidades de sua personalidade. Mais especificamente, sua independência. Ela queria fazer as coisas sem se preocupar com as opiniões alheias. Por isso sentia-se à vontade ao levar Kumi para a escola nas costas. Não era nada inibida. Queria fazer tudo à própria maneira. Com um comportamento assim, os pais não se preocupavam com ela, mas foi justamente essa autonomia que a fez terminar rejeitando o desejo deles de que ela assumisse o hotel no futuro.

Hirai não odiava os pais nem o hotel, simplesmente vivia pela sua própria liberdade. Aos 18 anos, saiu de casa, e Kumi tinha 12 anos na época. A raiva de seus pais por ela ter ido embora foi tão intensa quanto a expectativa que os dois nutriam de que ela seria a sucessora deles. Terminaram por deserdá-la. O choque de sua partida abalou muito os pais, e Kumi também ficou bastante sentida.

No entanto, Kumi devia ter percebido que Hirai partiria, *doa a quem doer.* Quando ela foi embora, Kumi não chorou nem pareceu ficar arrasada; apenas murmurou "Ela é egoísta demais", ao ver a carta que Hirai lhe deixara.

* * *

Kazu estava em pé ao lado de Hirai, segurando uma bandeja prateada com uma xícara branca e um bule prateado. Seu rosto mostrava uma expressão calma e elegante.

– Sabe as regras?

– Sei as regras...

Kumi havia frequentado o café, e, apesar de não poder mudar o fato de que ela morrera num acidente, Hirai agora estava na cadeira correta. E por mais que seu tempo no passado fosse ser curto, se ela pudesse ver Kumi uma última vez, valeria a pena.

Hirai fez que sim com a cabeça e se preparou.

Porém, embora estivesse pronta, Kazu continuou falando:

– As pessoas que voltam no tempo para encontrar alguém que morreu terminam ficando emocionadas, logo não conseguem se despedir mesmo sabendo do limite de tempo. Então quero te dar isso aqui...

Kazu pôs um palito de cerca de dez centímetros na xícara de Hirai, um daqueles que é usado para mexer drinques. Lembrava um pouco uma colher.

– O que é isso?

– Isso faz um alarme soar logo antes de o café esfriar. Então, se tocar...

– Está bem. Eu sei. Eu entendi, tá?

A imprecisão do limite "logo antes de o café esfriar" preocupava Hirai. Mesmo que *ela* achasse que o café estava frio, poderia ser que ainda lhe restasse algum tempo. Ou talvez ela achasse que o café ainda estava morno o bastante e cometesse o erro de ficar tempo demais e nunca mais conseguir voltar. Um alarme simplificava muito as coisas e diminuía sua ansiedade.

Tudo o que ela queria era se desculpar. Kumi se esforçou tanto para visitá-la com certa frequência... mas Hirai achava que aquilo era um mero incômodo.

Além de ter tratado Kumi tão mal, havia também o fato de que Kumi era a herdeira do Takakura.

Quando Hirai saiu de casa e foi deserdada pelos pais, Kumi se tornou automaticamente a sucessora. Era obediente demais para trair as expectativas dos pais como fizera Hirai.

Porém, e se isso houvesse estragado algum sonho que a irmã tinha?

Se Kumi alimentava um sonho, e se ele tinha sido arruinado pela partida egoísta da irmã, isso explicaria por que visitava Hirai com tanta frequência, implorando que ela voltasse para casa – será que Kumi desejava o retorno de Hirai só para ter a liberdade de ir atrás de suas próprias ambições?

Se Hirai tinha encontrado sua liberdade às custas de Kumi, era natural que ela estivesse ressentida. Mas agora... já não havia nenhuma maneira de curar o arrependimento de Hirai.

Isso tudo era mais um motivo pelo qual Hirai devia pedir desculpas a ela. Se não era possível mudar o presente, pelo menos ela poderia dizer: "Desculpe, por favor perdoe esta sua maninha egoísta".

Hirai olhou bem nos olhos de Kazu e fez que sim de maneira firme e definitiva. Kazu pôs o café na frente de Hirai, ergueu o bule prateado da bandeja com a mão direita e fitou Hirai com a testa abaixada. Assim era o ritual. Não importava quem estava *naquela* cadeira – ele não mudava. As expressões de Kazu faziam parte dele.

– Basta lembrar uma coisa... – Kazu fez uma pausa e depois sussurrou: – Tome o café antes que ele esfrie.

Então, começou a servir bem lentamente o café, que silenciosamente fluía do bico estreito do bule prateado como um fio preto contínuo. Hirai ficou ali observando a superfície do líquido subir. Quanto mais tempo o café demorava para encher a xícara, mais impaciente ela ficava. Queria encontrar sua irmãzinha o mais rápido possível. Queria vê-la e se desculpar.

Contudo, o café começaria a esfriar no exato momento em que a xícara estivesse completa – seu tempo era curto e precioso.

Uma fumacinha tremeluzente emergiu da xícara cheia. Ao olhá-la, Hirai começou a sentir uma tontura avassaladora. Seu corpo se uniu ao vapor, que a cercou, e ela sentia como se estivesse começando a subir. Apesar de ser sua primeira vez, não sentiu medo algum. Percebendo sua impaciência diminuir, fechou os olhos delicadamente.

Hirai conhecera o café havia sete anos. Tinha 24 anos e estava administrando seu bar havia uns três meses. Num domingo, no fim do outono, ela estava dando uma volta pelo bairro e entrou casualmente para dar uma olhada. Os únicos clientes eram ela e uma mulher de vestido branco. Era a época do ano em que as pessoas começavam a usar cachecóis, mas o vestido da mulher tinha mangas curtas. Imaginando que ela devia estar com um pouco de frio, mesmo sem estar ao ar livre, Hirai se sentou ao balcão.

Deu uma olhada ao redor, mas não viu nenhum funcionário. Quando a campainha tocou enquanto ela entrava, Hirai não ouviu ninguém dizer "Olá, seja bem-vindo!", como era de se esperar. Ficou com a impressão de que o café não atendia muito bem os clientes, mas isso não a desanimou. Ela gostava de lugares não convencionais.

Hirai decidiu esperar para ver se algum funcionário iria aparecer. Talvez ninguém tivesse escutado a campainha... De repente, ela se perguntou com que frequência aquilo acontecia. Além disso, a mulher de vestido nem sequer percebera sua presença; ela apenas continuou lendo seu livro. Hirai teve a impressão de que, por acaso, tinha entrado no café num dia em que estava fechado. Após cerca de cinco minutos, a campainha tocou e entrou uma garota que parecia estar no ensino médio. Ela disse, casualmente, "Olá, seja bem-vinda", sem urgência alguma e se dirigiu ao cômodo dos fundos. Hirai ficou exultante: havia descoberto um café que não bajulava os fregueses. Isso significava liberdade. A pessoa não tinha como saber quando alguém a serviria. Ela gostava desse tipo de café – era uma bela mudança em relação aos lugares que tratavam os clientes da mesma maneira previsível de sempre. Hirai acendeu um cigarro e esperou tranquilamente.

Depois de pouco tempo, uma mulher surgiu do cômodo dos fundos. Hirai estava no segundo cigarro. A mulher vestia um cardigã bege de tricô e uma longa saia branca com um avental vinho por cima. Tinha olhos grandes e redondos.

A garota devia ter relatado que já havia uma cliente esperando, mas ela apareceu com um jeito despreocupado.

A mulher de olhos grandes não parecia ter pressa alguma. Serviu água num copo e o pôs na frente de Hirai.

– Olá, seja bem-vinda – disse e sorriu como se tudo estivesse dentro da normalidade. Um cliente que esperasse tratamento especial talvez fosse querer um pedido de desculpas pela demora. Mas Hirai não queria nem esperava um serviço assim. A mulher não demonstrou sinal algum de que agira de modo incompatível e abriu um sorriso simpático. Hirai jamais havia conhecido outra mulher como ela própria, desinibida e que também gostasse de fazer as coisas no seu próprio ritmo. Simpatizou com a garçonete na mesma hora. O lema de Hirai era: *trate mal os clientes, mas os mantenha entretidos.*

A partir de então, Hirai passou a visitar o Funiculì Funiculà todos os dias. No inverno seguinte, descobriu que no café era possível *voltar ao passado.* Ela achou estranho que a mulher de vestido estivesse sempre sem casaco. Quando perguntou "Será que ela não está com frio?", Kei deu uma explicação sobre a mulher de vestido e contou que, sentando-se naquele lugar, era possível viajar no tempo.

Hirai ficou surpresa, "Sério?!", apesar de achar inacreditável. Porém, como Kei não contaria uma mentira daquele tipo, ela deixou o assunto de lado. Cerca de seis meses depois, a lenda urbana a respeito do café se espalhou e a popularidade do lugar só fez crescer.

Porém, mesmo após descobrir que era possível voltar no tempo, Hirai jamais cogitara fazer a viagem. Levava uma vida acelerada e sem arrependimentos. E de que adiantaria, pensava ela, se as regras diziam que não dava para mudar o presente, por mais que se tentasse?

Quer dizer, assim pensava ela até Kumi falecer no acidente de trânsito.

No meio da cintilação, Hirai escutou seu nome ser chamado de repente. Ao ouvir a voz familiar, abriu os olhos assustada e, ao dirigir a vista para a direção da voz, viu Kei de pé com um avental vinho. Seus olhos grandes e redondos revelavam sua surpresa ao ver Hirai. Fusagi estava no café, sentado à mesa mais próxima da entrada. Era exatamente a cena que Hirai lembrava. Tinha voltado para aquele dia – o dia em que Kumi ainda estava viva.

Hirai sentiu o coração disparar. Precisava relaxar. Sentia-se tensa como uma corda esticada ao limite e tentou se recompor. Imaginou a si mesma emocionada, os olhos ficando vermelhos, inchados e lacrimosos. Não queria estar assim de jeito nenhum quando encontrasse Kumi. Então, pôs a mão no peito, na altura do coração, e inspirou devagar e profundamente para se acalmar.

– Oi… – disse ela para Kei.

Kei estava surpresa por ver uma velha conhecida aparecer de repente naquela cadeira. Parecendo assustada e intrigada, falou com Hirai como se fosse a primeira vez que lidava com ela como cliente.

– O que… você veio do futuro?

– Vim.

– É mesmo? E por que diabos fez isso?

A Kei do passado não fazia ideia do que tinha acontecido. Era uma pergunta direta porém inocente.

– Ah, vim ver minha irmã, só isso.

Hirai não podia mentir. Então, segurou com mais firmeza a carta em seu colo.

– A que sempre vem aqui para tentar convencê-la a voltar para casa?

– Ela mesma.

– Mas que mudança! Você não costumava evitá-la?

– Bem, não hoje... hoje eu quero vê-la.

Hirai se esforçou ao máximo para responder animadamente. Quis rir, mas seus olhos não estavam rindo. Não conseguiu fazê-los brilhar nem por um instante. Também não sabia para onde olhar. Se Kei a analisasse com mais atenção, entenderia tudo. Mesmo agora, Kei parecia sentir que havia algo de errado.

– Aconteceu alguma coisa? – sussurrou Kei.

Hirai passou um tempo sem conseguir dizer sequer uma palavra. Depois, com um tom nada convincente, mentiu:

– Ah, não foi nada. Nada mesmo.

A água escorre dos lugares altos para os mais baixos. Sempre. É a natureza da gravidade. As emoções também parecem agir de acordo com a gravidade. Na presença de alguém com quem se tem laços, a quem você já confiou seus sentimentos, fica difícil mentir sem que o outro perceba. A verdade simplesmente quer fluir, se libertar. Assim é, especialmente quando alguém tenta esconder alguma tristeza ou vulnerabilidade. É muito mais fácil disfarçar a tristeza de um desconhecido ou até mesmo de alguém em quem não se confia. Para Hirai, Kei era uma confidente para quem ela podia contar tudo. A gravidade emocional era forte. Forte até demais. Kei aceitaria qualquer coisa – perdoaria qualquer coisa – que Hirai colocasse para fora. Uma única palavra gentil de Kei acabaria com a tensão que percorria seu corpo.

Naquele momento, bastaria Kei dizer algo afetuoso para que a verdade fluísse e, como água, escorresse para fora dela. Kei a encarava com preocupação. Hirai sabia disso, mesmo sem olhá-la, então evitava desesperadamente qualquer contato visual.

Kei saiu de trás do balcão, incomodada com a relutância de Hirai em olhar para ela.

DING-DONG

Bem naquele momento, a campainha tocou.

– Olá, seja bem-vindo! – disse Kei automaticamente para a entrada e ficou ali parada aguardando.

Mas Hirai sabia quem era. Os ponteiros do relógio do meio na parede indicavam 15h, e Hirai sabia que o do meio era o único dos três que mostrava a hora correta. Tinha sido nessa hora que Kumi chegara ao café três dias antes.

Naquele dia, Hirai se viu forçada a se esconder debaixo do balcão. As características do café – localizado num subsolo e com uma entrada apenas – deixaram-na sem escolha. A única maneira de entrar e sair era pela escada que dava para a rua. Hirai sempre aparecia por lá após o horário do almoço. Pedia um café, conversava com Kei e depois ia para o trabalho. Naquele dia, ela se levantou do banco planejando abrir o bar cedo. Lembrou-se de olhar o relógio do meio para conferir a hora: eram exatamente 15h. Um pouco cedo, mas achou que podia se aventurar tentando preparar alguns tira-gostos. Tinha acabado de pagar a conta e estava prestes a sair. Estava até com a mão na porta quando ouviu a voz de Kumi no topo da escada.

Kumi vinha descendo enquanto conversava com alguém ao telefone. Em pânico, Hirai deu meia-volta e saiu correndo para trás do balcão. *Ding-dong*, soou a campainha. Enquanto se agachava, ainda teve tempo de ver a porta abrir. Era isso que tinha acontecido quando não encontrou Kumi havia três dias.

* * *

Agora, Hirai estava sentada *naquela* cadeira, esperando Kumi. Mas… com que roupa ela tinha vindo mesmo? Além disso, fazia tempo que não via direito o rosto dela; na verdade, mal recordava de quando o vira pela última vez. Isso a fez perceber o quanto tinha evitado as visitas da irmã. Agora, seu coração estava tomado de arrependimento. A dor se intensificou quando ela se lembrou das táticas baixas que usara para evitá-la.

Contudo, naquele momento, não podia se permitir chorar. Jamais havia chorado na frente da irmã, ou seja, Kumi não acharia normal se ela caísse em prantos na sua frente. Ela iria querer saber se algo ruim tinha acontecido e, nesse caso, Hirai acabaria desabando. Embora soubesse que o presente não mudaria, ainda assim poderia pedir: "*Você vai bater o carro, vá de trem para casa!*" ou "*Não volte para casa hoje!*". Mas isso seria a pior coisa que ela poderia dizer. Hirai terminaria anunciando a morte dela. Teria de evitar isso a todo custo. Fazê-la sofrer ainda mais era a última coisa que Hirai queria. Respirou fundo para tentar acalmar suas emoções embaralhadas.

– Maninha?

Ao ouvir essa voz, o coração de Hirai parou. Era a voz de Kumi, uma voz que ela achou que nunca mais escutaria. Abriu os olhos bem devagar e viu a irmã na entrada, observando-a.

– Oi…

Hirai ergueu a mão, acenou e abriu seu maior sorriso. Sua expressão tensa havia desaparecido. Porém, no seu colo, na mão esquerda, estava a carta. Kumi encarou a irmã.

Hirai entendia por que ela estava confusa. Até o momento, sempre que a encontrava, Hirai sequer tentava disfarçar seu constrangimento. Costumava adotar uma postura fria para demonstrar que só queria que ela fosse logo embora. Mas…

agora era diferente. Hirai estava realmente encarando Kumi de volta e abrindo um baita sorriso para ela. Apesar de normalmente hesitar em fazer contato visual, agora ela encarava a irmã e nada mais.

– Nossa… que esquisito. O que é que você tem hoje?

– Como assim?

– Bem, em todos esses anos nunca consegui te encontrar tão feliz.

– É mesmo?

– Com certeza!

– Ah, Kumi, me desculpe por isso – pediu Hirai, encolhendo os ombros.

Kumi se aproximou devagar, como se estivesse começando a se sentir mais confortável com a aparente mudança da irmã.

– Hum, por favor. Eu gostaria de fazer meu pedido. Quero um café com torrada, e depois arroz com curry e um iogurte com frutas, pode ser? – Hirai pediu para Kei, que estava de pé atrás do balcão.

– É pra já – disse Kei, olhando Hirai rapidamente.

Após reconhecer a Hirai de sempre, Kei pareceu muito mais tranquila enquanto entrava na cozinha.

– Posso me sentar aqui? – perguntou Kumi, ainda um pouco hesitante, enquanto puxava a cadeira.

– Claro – respondeu Hirai sorrindo.

Feliz da vida, Kumi abriu um sorriso e devagar se sentou na cadeira em frente.

Por um instante, nenhuma das duas disse nada. Apenas se entreolhavam. Kumi ficou se mexendo, pelo jeito sem conseguir relaxar. Hirai somente a encarava, contente só com isso. Kumi também a olhava fixamente.

– Hoje o dia está mesmo esquisito – murmurou Kumi.

– Como assim?

– Parece que não fazemos isso há anos… ficar apenas nos olhando assim…

– É mesmo? Não fazemos?

– Ah, nem vem. Da última vez que estive aqui em Tóquio, fiquei parada lá na porta da sua casa e você nem permitiu que eu entrasse. E na vez antes dessa, você saiu correndo de mim e eu ainda fui atrás. Antes disso, você até atravessou a rua para me evitar, e antes disso…

– Foi terrível, né? – concordou Hirai.

Ela sabia que Kumi poderia ficar ali listando os acontecimentos. Era óbvio o que tinha realmente ocorrido – quando fingia não estar em casa mesmo com todas as luzes acesas, quando agia como se estivesse muito bêbada e dizia "Quem é você?", fingindo não reconhecê-la. Hirai nunca lia as cartas de Kumi e simplesmente as jogava fora. Até a última carta de todas. Era uma péssima mana mais velha.

– Paciência, você é assim.

– Me desculpe, Kumi. De verdade – pediu Hirai e pôs a língua para fora, tentando dar uma descontraída.

Mas Kumi não estava conseguindo passar uma borracha tão facilmente em tudo que vinha acontecendo.

– Então… me conte a verdade, o que houve? – perguntou ela preocupada.

– Hã? Como assim?

– Ah, para com isso. Você está toda esquisita.

– Acha mesmo?

– Aconteceu alguma coisa, não é?

– Não… nada de mais – disfarçou Hirai, tentando soar natural.

A preocupação e o constrangimento nas expressões de Kumi davam a impressão que era a própria Hirai que estava vivendo suas horas finais, como alguém num programa de tevê sentimentalista que de repente se redime diante da morte. Ela sentiu os olhos se avermelharem devido a essa cruel ironia. Não era ela que ia morrer. Avassalada por uma onda de emoções, não conseguiu mais manter o contato visual e abaixou o olhar.

– Aqui está – disse Kei, trazendo o café bem na hora certa.

Hirai ergueu o rosto no ato.

– Obrigada – agradeceu Kumi, assentindo educadamente.

– Disponha.

Kei pôs o café na mesa, abaixou um pouco a cabeça e voltou para trás do balcão.

O fluxo da conversa tinha sido interrompido. Hirai não sabia o que dizer. Desde quando Kumi aparecera no café, tudo o que Hirai mais queria era dar um forte abraço na irmã e gritar "Não morra!". Somente o esforço para não dizer isso já a sobrecarregava.

À medida que a pausa da conversa se estendia, Kumi foi ficando inquieta, se mexendo na cadeira, constrangida. Enquanto dobrava um bloco de anotações no colo, ela não parava de olhar para a parede dos tiquetaqueantes relógios. Pelo seu comportamento, Hirai sacou tudo, sabia exatamente o que ela estava pensando.

Kumi estava escolhendo as palavras com cautela. Durante o tempo em que olhava para baixo, ficou ensaiando mentalmente o que ia dizer. É claro que o pedido em si era simples: "Por favor, volte para casa". Mas dizê-lo é que era o problema.

Era difícil demais falar isso, afinal, sempre que ela mencionava o assunto nos últimos anos, Hirai recusava categoricamente. E quanto mais dizia não, mais fria a irmã se tornava. Kumi jamais havia desistido, por mais que Hirai recusasse, mas nunca tinha se acostumado a ouvir o *não*. Sempre que o ouvia, ela se magoava – e se entristecia.

Quando pensou em como devia ter sido difícil para Kumi sentir isso tantas vezes, a tensão em seu peito pareceu chegar ao limite, a ponto de rompê-lo. Por muito tempo, Kumi precisou represar tais sentimentos. Agora, ela estava imaginando que Hirai recusaria outra vez e, naturalmente, isso a deixava pisando em ovos. Todas as vezes, batalhava persistentemente para criar coragem. E nunca desistira. Jamais. Ergueu a vista e olhou bem nos olhos de Hirai com valentia. A irmã não desviou; também ficou encarando Kumi, que inspirou rapidamente e estava prestes a falar quando...

– Tá tudo bem, eu não me incomodo de voltar para casa – respondeu Hirai.

Tecnicamente não era uma resposta, pois Kumi ainda não dissera nada. Mas Hirai sabia muito bem o que ela ia perguntar, então respondeu ao que esperava que a irmã fosse pedir: "Por favor, volte para casa!".

O rosto de Kumi revelou sua confusão, como se ela não estivesse entendendo o que Hirai havia dito.

– O quê?

Hirai respondeu calma e claramente:

– Tudo bem... eu não me incomodo de voltar para o Takakura.

O rosto de Kumi ainda estava incrédulo.

– É mesmo?

– Mas você sabe que eu não vou servir pra muita coisa, não é? – disse Hirai se justificando.

– Não tem problema! Não mesmo! Você pode aprender o trabalho com o tempo mesmo. Nossos pais vão ficar tão contentes! Tenho certeza.

– Sério?

– É claro que vão! – respondeu Kumi e assentiu com veemência.

Seu rosto ficou todo vermelho de repente e ela caiu em prantos.

– O que foi?

Agora era a vez de Hirai ficar consternada. Ela sabia por que Kumi estava chorando: se Hirai voltasse para o Takakura, ela poderia ser livre outra vez. Seus persistentes esforços ao longo de muitos anos para persuadir Hirai tinham valido a pena. Não era de admirar que ela estivesse tão feliz. Mas Hirai jamais imaginava que a irmã choraria tanto.

– Esse sempre foi o meu sonho – murmurou Kumi olhando para baixo, com as lágrimas pingando na mesa.

O coração de Hirai batia descontroladamente. Então Kumi tinha seu próprio sonho. Ela também queria fazer suas coisas. O egoísmo de Hirai roubara o sonho da irmã.

Ela achava que sabia exatamente o que tinha impedido.

– Esse qual? – perguntou ela a Kumi.

Com os olhos marejados e vermelhos, Kumi ergueu a vista e respirou fundo.

– Administrar o hotel… junto com você – respondeu ela, e um imenso sorriso se fez presente.

Hirai nunca tinha visto Kumi abrir um sorriso tão feliz e radiante.

Hirai pensou no que dissera para Kei naquele dia lá no passado.

"Ela está ressentida comigo."

"Ela não queria herdar… o hotel."

"Eu sempre digo que não quero voltar. Mas ela não para de insistir. Dizer que ela é persistente seria eufemismo."

"Eu não quero ver… o rosto dela."

"O rosto dela revela tudo. Por causa do que eu fiz, agora tem que administrar um hotel que não quer administrar. Ela quer que eu volte para poder se ver livre."

"… fica parecendo que ela está me pressionando, só isso."

"Pode jogar fora!"

"Dá pra imaginar o que tem escrito. 'É muito difícil ter que fazer tudo sozinha. Por favor, volte para casa. Não tem problema você só aprender as coisas lá na hora.'"

Hirai tinha dito tudo isso. Mas estava errada. Kumi não estava ressentida com ela. Também não era verdade que ela não queria herdar o hotel. Kumi não tinha desistido de tentar convencer Hirai a voltar porque *esse* era o sonho dela. Não era porque ela queria a própria liberdade, nem porque culpava Hirai: o sonho dela era administrar o hotel *junto com* Hirai. O sonho não havia mudado, tampouco sua irmãzinha, que ainda estava na sua frente com lágrimas de alegria escorrendo pelas bochechas. Sua irmãzinha Kumi, que amava a mana mais velha com todo o coração, e que, incontáveis vezes, viera convencê-la a voltar para a família, sem jamais desistir. Embora seus pais a tivessem deserdado, Kumi se ativera à crença de que Hirai voltaria para casa. Como sua irmãzinha ainda era doce. Sempre uma menininha, sempre atrás dela pelos cantos. "Maninha! Maninha!" Hirai jamais havia sentido tanto amor, carinho e afeto por Kumi.

Mas a irmãzinha que ela tanto amava agora havia partido.

O remorso de Hirai explodiu. *Não morra! Eu não quero que você morra!*

– Ku-Kumi – disse Hirai a meia-voz, como se o nome tivesse simplesmente escapado.

Mesmo que fosse inútil, Hirai queria impedir a morte da irmã. Mas Kumi não parecia ter ouvido Hirai.

– Espera um instante. Vou ao banheiro. Preciso retocar a maquiagem – disse Kumi, levantando-se da cadeira e se afastando.

– Kumi! – exclamou Hirai.

Ao ouvir seu nome ser chamado daquela maneira, Kumi parou na mesma hora.

– O que foi? – perguntou ela, assustada.

Hirai não sabia o que dizer. Nada do que ela dissesse mudaria o presente.

– Hum... Não é nada. Desculpe.

É claro que não era nada.

Não vá! Não morra! Desculpe! Por favor, me perdoe! Se você não tivesse vindo me ver, não teria morrido!

Havia tanta coisa a ser dita... Hirai queria se desculpar por tantas coisas... por ter saído de casa de maneira egoísta, por ter jogado nas costas da caçula a responsabilidade de assumir sozinha o cuidado dos pais, por deixar o papel de herdeira para ela... Além de não ter refletido sobre o quanto isso foi difícil para a família, Hirai não fazia ideia do motivo pelo qual Kumi arranjava tempo na sua vida atarefada para vir encontrá-la. *Agora eu entendo o quanto você sofreu por me ter como irmã mais velha. Desculpe.* Contudo, ela não conseguia transformar nenhum desses sentimentos em palavras. Jamais havia compreendido... Mas, afinal, o que é que deveria dizer? E o que de fato *queria* dizer?

Kumi a encarava com ternura. Ainda estava esperando a irmã falar, mesmo que Hirai não tivesse dito mais nada – ela entendia que Hirai queria dizer alguma coisa.

Quanta ternura no olhar, mesmo depois de eu ter sido tão cruel contigo por tanto tempo. Você manteve esse afeto e me esperou por tanto tempo. Sempre com o desejo de que a gente trabalhasse lado a lado no hotel. Sem jamais desistir. Mas eu...

Após um longo silêncio, perdida em meio aos seus sentimentos, Hirai só conseguiu murmurar uma palavra:

– Obrigada.

Ela não sabia se somente isso seria capaz de conter e transmitir tudo o que estava sentindo. Porém, naquele instante, aquela palavra abrangia todo o seu ser.

Kumi pareceu ficar perplexa por um momento, mas depois respondeu com um gigantesco sorriso:

– Pois é, você está mesmo esquisita hoje.

– É, acho que sim – concordou Hirai, gastando suas últimas forças para abrir seu maior e melhor sorriso.

Nitidamente feliz, Kumi deu de ombros, rodopiou e se dirigiu ao banheiro.

Hirai ficou observando enquanto ela se afastava. Lágrimas surgiram. Parecia que ela não seria mais capaz de contê-las. Porém, não piscou. Ficou encarando as costas de Kumi até ela desaparecer. Assim que Kumi saiu do seu campo de visão, abaixou a cabeça, e as lágrimas caíram do seu rosto e atingiram a mesa como se estivesse chovendo. Sentiu o luto irromper do fundo de seu coração. Queria gritar e chorar bem alto, mas não podia.

Se fizesse isso, Kumi escutaria. Ela cobriu a boca desesperadamente para não gritar o nome da irmã e, com os ombros tremendo, abafou a própria voz e chorou tudo o que pôde. Kei chamou-a da cozinha, preocupada com seu estranho comportamento.

– Você está bem, Hirai?

Bip bip bip bip bip...

O apito repentino veio da xícara de café: era o tal alarme avisando que a bebida estava quase fria.

– Ah, não! O alarme!

Kei entendeu tudo ao escutá-lo – o alarme só era usado quando a pessoa iria visitar alguém que já tinha morrido.

Meu Deus... a doce irmã caçula dela...

Com Kumi no banheiro, Kei olhou para Hirai.

– Com certeza não está... – murmurou Kei em pânico.

Hirai notou a maneira como Kei a encarava e, tristemente, confirmou que não.

Kei parecia angustiada.

– Hirai – chamou.

– Eu sei – respondeu Hirai, pegando a xícara. – Tenho que beber tudo, não é mesmo? – disse, enxugando o rosto.

Kei não falou nada. Simplesmente porque não conseguiu falar nada.

Hirai estava segurando a xícara. Inspirou e expirou com um gemido, tomada por todo o doloroso luto que transbordava do seu coração.

– Só quero ver o rosto dela mais uma vez. Mas, se eu fizer isso, não vou conseguir voltar.

As mãos trêmulas de Hirai aproximaram a xícara dos seus lábios. Ela precisava beber. As lágrimas apareceram mais uma vez. Vários pensamentos surgiram em sua mente. *Por que isso aconteceu? Por que ela precisava morrer? Por que eu não disse antes que voltaria para casa?*

A xícara parou a uma pequena distância dos seus lábios e não se moveu. Após um instante, Hirai disse:

– Argh. Não consigo tomar...

Ela pôs a xícara na mesa, totalmente exaurida. Não tinha ideia do que queria fazer, nem sabia por que havia voltado para o passado. Tudo que sabia era que amava profundamente sua preciosa irmãzinha e que agora... era tarde demais.

Se eu tomar o café agora, nunca mais vou ver minha irmã outra vez. Apesar de eu finalmente ter feito com que ela sorrisse, isso nunca mais vai acontecer. Porém, ela sabia que jamais conseguiria tomar o café com o rosto de Kumi na sua frente.

– Hirai!

– Eu não posso!

Kei era capaz de ver o quanto Hirai se sentia angustiada. Então, mordeu o lábio; estava séria.

– Você prometeu... – disse ela com a voz trêmula. – Prometeu para ela, não foi? Que voltaria para o hotel.

O sorriso exultante e feliz de Kumi estava grudado atrás de suas pálpebras.

– Você garantiu que o administraria *junto* com ela.

Hirai imaginou que Kumi estava viva. As duas trabalhando alegremente no Takakura.

Ela ouviu em sua cabeça as palavras daquela ligação no início da manhã. "Mas ela..."

A imagem de Kumi deitada como se estivesse dormindo apareceu de repente. Kumi tinha morrido.

O que ela deveria fazer quando voltasse ao presente? Seu coração parecia ter perdido toda a vontade de voltar. Kei também estava chorando, mesmo assim Hirai nunca tinha ouvido tanta determinação na sua voz:

– Isso significa que você tem que voltar. Agora é mais importante do que nunca.

Por quê?

– Imagine o quanto sua irmã ficaria triste se soubesse que você fez essa promessa só para hoje. Ela ficaria arrasada, não acha?

Verdade! Kei tem razão. Kumi me disse que era o sonho dela trabalhar comigo *e eu prometi isso a ela. Foi a primeira vez que a vi tão feliz daquele jeito. Eu não posso fingir que aquele sorriso nunca aconteceu. Não posso decepcioná-la outra vez. Eu preciso voltar para o presente e para o Takakura. Mesmo que Kumi esteja morta, eu fiz a promessa enquanto ela estava viva. Preciso garantir que a felicidade dela não foi em vão.*

Hirai segurou a xícara. Mas…

Quero ver o rosto de Kumi mais uma vez. Era seu último dilema.

Porém, esperar para ver o rosto de Kumi significaria não poder voltar para o presente. E Hirai sabia muito bem disso. No entanto, mesmo tendo consciência que só precisava tomar o café, a distância entre a xícara e sua boca se manteve a mesma.

Clack.

Destroçada, ouviu o barulho da porta do banheiro sendo aberta. No instante em que o escutou, seus instintos falaram mais alto e ela virou o café – não podia hesitar.

Todos os seus pensamentos racionais haviam sido deixados de lado. Ela sentiu o corpo inteiro reagindo intuitivamente. No momento em que tomou o café, a tontura voltou, e Hirai experimentou novamente a sensação de estar se fundindo ao vapor, que agora a envolvia completamente. Resignou-se ao fato de que nunca mais veria Kumi. Contudo, bem naquele momento, a irmã saiu do banheiro.

Kumi!

No meio da cintilação, parte da consciência de Hirai ainda estava no passado.

– Hã? Maninha?

Kumi tinha voltado, mas já não conseguia ver Hirai. Estava olhando para *aquela* cadeira em que Hirai estava sentada, parecendo confusa.

Kumi!

A voz de Hirai não chegou até ela.

Kumi, agora desvanecendo, olhou para Kei, que estava de costas atrás do balcão.

– Com licença. Você não saberia dizer para onde minha irmã foi, saberia?

Kei se virou e sorriu para ela.

– Houve um imprevisto e ela teve que ir embora…

Ao ouvir isso, Kumi ficou arrasada. Deve ter sido uma decepção. Finalmente havia encontrado a irmã e, de repente, ela tinha ido embora. Hirai garantiu que voltaria para casa, mas o reencontro foi breve. Era natural que estivesse ansiosa. Kumi suspirou e se sentou prostrada na cadeira. Kei viu como ela reagiu à informação.

– Não se preocupe! Sua irmã afirmou que iria cumprir a promessa – disse ela, piscando na direção de onde Hirai, reduzida a vapor, observava.

Kei, você me salvou! Obrigada.

Hirai começou a chorar de novo, comovida com o apoio.

Kumi ficou um instante em silêncio.

– Sério, é? – perguntou ela, abrindo um enorme sorriso. – Ah, ótimo! Nesse caso… vou já voltar para casa.

Então, abaixou a cabeça educadamente, levantou-se e saiu do café toda animada.

Kumi-i!

Hirai enxergava tudo em meio ao vapor cintilante. Kumi tinha sorrido ao ouvir que Hirai cumpriria a promessa.

Tudo ao redor de Hirai avançou do começo ao fim, como num filme em *fast-forward*. Ela continuou chorando. Chorou e chorou e chorou...

A mulher de vestido tinha voltado do banheiro e estava parada ao lado dela. Kazu, Nagare, Kohtake e Kei também estavam lá. E Hirai tinha voltado ao presente – ao presente sem Kumi.

A mulher de vestido não prestou atenção nos olhos marejados de Hirai.

– Sai daí! – resmungou ela.

– Ah, sim. Pode deixar – disse Hirai, saltando para fora *daquela* cadeira.

A mulher de vestido ocupou novamente a cadeira. Afastou a xícara que Hirai havia usado e começou a ler seu romance como se nada tivesse acontecido.

Em vão, Hirai tentou ajeitar o rosto manchado de lágrimas. Soltou um forte suspiro.

– Não sei se eles vão me receber muito bem. E também não faço ideia de como exercer aquela função... – prosseguiu Hirai, olhando a última carta de Kumi em suas mãos. – Se eu voltar desse jeito... não tem problema, ou tem?

Parecia que ela queria voltar para o Takakura imediatamente. Deixaria o bar e todo o resto para trás... e simplesmente iria. Era típico de Hirai decidir sobre algo sem achar necessário refletir primeiro. Estava determinada, e não havia nenhum indício de dúvida em seu rosto.

Kei fez que sim, tranquilizando-a.

– Tenho certeza de que vai ficar tudo bem – respondeu ela, toda animada.

Kei não perguntou a Hirai o que tinha acontecido no passado. Não precisava. Hirai tirou 380 ienes da bolsa para pagar a conta. Entregou-os a Nagare e saiu do café, com rapidez e com a alma leve.

Kei havia acompanhado Hirai a fim de se despedir. Agora, enquanto passava a mão carinhosamente na barriga, sussurrou:

– Como aquilo foi maravilhoso…

Enquanto Nagare guardava o dinheiro na caixa registradora, ele olhou solenemente para Kei acariciando a barriga daquele jeito.

Será que ela conseguiria abrir mão disso?

Sem que a expressão de Nagare mudasse, a campainha ecoou pelo café.

Ding-dong…

MÃE E FILHA

Quando aparece em um haiku, a cigarra *higurashi* é um termo que denota a estação do ano e é associado ao outono. Assim, a menção à palavra *higurashi* evoca uma imagem da cigarra estridulando ao fim do verão. Na realidade, o som do inseto pode ser ouvido no começo do verão. Mas, por algum motivo, enquanto os sons das cigarras *abura* e *min-min* evocam imagens do sol forte, de meados do verão e dos dias escaldantes, a canção da *higurashi* desperta imagens da noitinha e do fim do verão. Quando o sol começa a se pôr, quando há o crepúsculo, o *kaná-kaná-kaná* da *higurashi* provoca uma melancolia que faz com que a pessoa queira voltar para casa.

Na cidade, mal se escuta o estridular da *higurashi*. Isso acontece porque, diferentemente das cigarras *abura* e *min-min*, a *higurashi* gosta de locais sombreados, como as copas de uma floresta ou um bosque de ciprestes fora da luz solar. Porém, bem perto do nosso café, habitava uma única cigarra *higurashi*. Quando começava a anoitecer, ouvia-se um *kaná-kaná-kaná* contínuo, fraco e fugaz vindo das redondezas. Às vezes, era possível escutá-lo até mesmo de dentro do café, mas, como ele se situava num subsolo, era preciso se esforçar para ouvi-lo, de tão fraco que era o ruído.

Era uma dessas noitinhas de agosto. Lá fora, a cigarra *abura* estridulava ruidosamente, *gri-gri-gri*. O serviço meteorológico informara que aquele dia tinha sido o mais quente do ano. No entanto, dentro do café, apesar de não haver ar-condicionado, estava fresco. Kazu lia o e-mail que Hirai enviara para o celular de Nagare:

> Já faz duas semanas que voltei para o Takakura. Tenho tantas coisas novas para aprender... É tão difícil que todos os dias bate uma vontade danada de chorar...

– Puxa, está sendo bem desafiador para ela.

Kohtake e Nagare estavam ouvindo Kazu. Como Kazu e Kei não tinham celular, era o aparelho de Nagare que recebia todos os e-mails enviados para o café. Kazu não tinha porque não era muito boa em manter relações interpessoais e enxergava os telefones e os demais meios de comunicação como um mero incômodo. Kei não tinha porque havia cancelado a linha ao se casar. "Basta um celular para duas pessoas casadas", dizia. Em contrapartida, Hirai tinha três celulares, cada um com um propósito específico: um para os clientes, um para os amigos e um para a família. No da família, ela salvara apenas o telefone residencial de sua família e o número de sua irmã Kumi. Embora ninguém do café soubesse, agora Hirai havia acrescentado dois contatos ao telefone da família: o café e o celular de Nagare. Kazu seguiu lendo o e-mail.

> As coisas continuam um pouco esquisitas com os meus pais, mas acho que foi melhor voltar. Penso que, se a morte de Kumi causou tristeza tanto para mim quanto para eles, então a tristeza seria o único legado deixado por ela.

É por isso que eu quero ter uma vida que crie um legado maravilhoso para a vida de Kumi. Aposto que vocês nunca imaginaram que eu poderia me tornar uma pessoa tão séria.

Então, enfim, estou bem e feliz, dentro do possível.
Se puderem, venham me visitar. Apesar de já ter acontecido neste ano, recomendo demais o Festival do Tanabata.
Mandem lembranças a todos, por favor.

Yaeko Hirai

Nagare, de braços cruzados, escutava da entrada da cozinha e semicerrou os olhos ainda mais do que o normal. Provavelmente estava sorrindo – era sempre difícil saber quando ele estava sorrindo.

– Ah, que maravilha! – exclamou Kohtake, exultante.

Devia ser seu intervalo entre os turnos de trabalho, pois vestia o uniforme de enfermeira.

– Ei, vejam só a foto – disse Kazu, mostrando a Kohtake a imagem anexada ao e-mail.

Kohtake segurou o telefone para poder ver melhor.

– Nossa, parece que ela se adaptou bem… com certeza – festejou, um pouco surpresa.

– Não é? – concordou Kazu, sorrindo.

Na foto, Hirai estava na frente do hotel. O cabelo preso num coque e com um quimono rosa que indicava sua posição de gerente e proprietária do Takakura.

– Ela parece feliz.

– Sem dúvida.

Hirai estava sorrindo como se não tivesse nenhuma preocupação. Havia escrito que as coisas ainda estavam esquisitas entre ela e os pais, mas, ao lado dela, encontravam-se Yasuo (pai) e Michiko (mãe).

– Kumi também deve estar… – murmurou Nagare, vendo a foto mais de trás. – Com certeza ela também está feliz.

– Pois é, com certeza – concordou Kohtake, olhando a foto.

Kazu, atrás dela, também fez que sim. Ela não estava mais com o jeito frio que assumia ao conduzir o ritual de volta ao passado. Havia ternura e bondade em seu rosto.

– Aliás… – disse Kohtake enquanto devolvia o celular a Kazu. Virou-se e, hesitante, olhou para onde a mulher de vestido estava sentada. – O que ela está fazendo ali?

Não era para a mulher de vestido que ela estava olhando, mas para Fumiko Kiyokawa, sentada na cadeira oposta. Tinha sido Fumiko que voltara no tempo no café na última primavera. Apesar de normalmente personificar a mulher moderna e independente, que trabalha fora, hoje ela devia estar de folga, pois vestia uma camiseta preta de mangas três-quartos e uma legging branca. Estava calçando sandálias de corda.

Fumiko não demonstrara o mínimo interesse pelo e-mail de Hirai. Em vez disso, ficou apenas encarando o rosto da mulher de vestido. Era um mistério o que ela queria. Kazu não fazia ideia.

– Também não sei.

Foi tudo que Kazu conseguiu responder.

Desde a primavera que, de tempos em tempos, Fumiko aparecia no café. E sentava-se na frente da mulher de vestido. De repente, Fumiko olhou para Kazu.

– Hum, por favor – chamou ela.

– Sim?

– Estou incomodada com uma coisa.

– O que foi?

– Sobre essa história toda de viajar no tempo… é possível ir para o futuro também?

– Para o futuro?

– Sim, para o futuro.

A pergunta de Fumiko despertou não só a curiosidade de Kohtake, mas também a frieza de Kazu.

– Pois é, eu também gostaria de saber.

– Pois é, né? – concordou Fumiko.

– Voltar para o passado e ir para o futuro são duas maneiras diferentes de viajar no tempo. Então eu queria saber se é possível – prosseguiu Fumiko.

Kohtake fez que sim, concordando.

– Então, é mesmo possível? – perguntou Fumiko com os olhos cheios de expectativa e de curiosidade.

– Sim, claro que a pessoa pode ir para o futuro – respondeu Kazu sem rodeios.

– Sério? – questionou Fumiko.

De tão empolgada, ela acabou esbarrando na mesa e derramando o café da mulher de vestido. A mulher contraiu as sobrancelhas, e Fumiko, em pânico, enxugou o café com um guardanapo – não queria ser amaldiçoada.

– Uau! – exclamou Kohtake.

Kazu observou a reação das duas.

– Mas ninguém vai – acrescentou ela com frieza.

– Hã? – estranhou Fumiko, surpresa. – E por que diabos não vão? – perguntou ela, aproximando-se de Kazu.

Certamente não seria ela a única pessoa a achar interessante a ideia de viajar para o futuro – era isso que queria ter dito. Kohtake também queria saber por que ninguém fazia isso. Seus olhos se arregalaram, e ela encarou Kazu atentamente. Kazu olhou para Nagare e depois para Fumiko.

– Bem, é o seguinte... caso você deseje ir para o futuro, quantos anos vai querer avançar?

Apesar de a pergunta parecer espontânea, pelo jeito Fumiko já havia pensado nisso.

– Três anos! – respondeu de imediato, como se estivesse esperando que alguém lhe perguntasse aquilo, e seu rosto corou um pouco.

– Quer encontrar seu namorado, né? – perguntou Kazu, aparentemente indiferente.

– Bem... e se eu quiser?

Fumiko projetou o queixo para a frente como que para se defender, mas o rosto corou mais ainda.

Naquele momento, Nagare interrompeu:

– Não precisa ficar envergonhada...

– Não é isso! – replicou ela.

Mas Nagare tinha cutucado uma ferida, e ele e Kohtake se entreolharam, sorrindo.

Kazu não estava nem um pouco a fim de brincar. Encarava Fumiko com sua expressão impassível de sempre. Fumiko percebeu sua seriedade.

– É ou não é possível? – insistiu ela baixinho.

– É, sim... não é uma questão de ser possível ou não – prosseguiu Kazu em um tom monótono.

– Mas...?

– Como você pode saber que ele vai vir para o café daqui a três anos?

Fumiko parecia não ter compreendido a pergunta.

– Não entendeu? – perguntou Kazu a Fumiko, como se estivesse fazendo um interrogatório.

– Aaah – disse Fumiko quando a ficha finalmente caiu.

Mesmo que ela se transportasse para daqui a três anos, como poderia ter certeza de que Goro estaria no café?

– É essa a questão. O que aconteceu no passado já aconteceu. Você pode especificar o momento e voltar para ele. Entretanto...

– O futuro é completamente desconhecido! – exclamou Kohtake batendo palmas, como se estivesse em um programa de perguntas e respostas.

– É claro que você pode se transportar para o dia que quiser, mas não é possível saber se a pessoa que você quer ver estará lá.

Julgando pela expressão de indiferença de Kazu, muita gente já devia ter se perguntado a mesma coisa.

– Então, a não ser que você esteja esperando um milagre... se escolher um horário no futuro e se transportar para ele, e, é claro, também só pelo mesmo tempinho antes de o café esfriar, as chances de encontrar a pessoa que você quer encontrar são ínfimas – acrescentou Nagare, como se explicasse isso o tempo inteiro.

E logo concluiu encarando Fumiko como quem pergunta *Entende o que estou dizendo?*

– Então seria perda de tempo fazer isso? – murmurou Fumiko, aceitando.

– Exatamente.

– Entendi...

Considerando sua motivação aparentemente superficial, Fumiko deveria ter ficado até mais envergonhada. Porém, estava tão impressionada com a perfeição das regras que a ideia de questionar a resposta de Kazu nem passou pela sua cabeça.

Ela não disse nada, mas pensou, *Quando a pessoa volta para o passado, não dá para mudar o presente. E ir para o futuro é perda de tempo. Que conveniente. Agora eu entendo por que a matéria daquela revista descreveu a viagem no tempo do café como "inútil".*

No entanto, Fumiko não evitaria a vergonha com tanta facilidade assim. Não mesmo.

Nagare semicerrou ainda mais os olhos, curioso.

– E o que queria fazer? Conferir se vocês dois vão estar casados? – provocou ele.

– Nada disso!

– Rá! Na mosca.

– Não! Falei que não era isso. Argh!

Quanto mais Fumiko negava, mais se encrencava.

Porém, infelizmente para Fumiko, ela não poderia viajar para o futuro. Havia mais uma regra irritante que impedia isso: quem já tivesse se sentado na cadeira para viajar no tempo não poderia fazer isso de novo. Cada um tinha apenas uma única oportunidade.

Mas não seria nada fácil contar isso para Fumiko, pensou Kazu, enquanto a observava bater papo alegremente. Não porque Kazu estimasse Fumiko, mas porque ela exigiria uma explicação sensata para a regra.

E eu não quero ter esse trabalho, pensou Kazu simplesmente.

DING-DONG

– Olá! Seja bem-vindo!

Era Fusagi. Ele estava de camisa polo azul-marinho, calça bege e sandálias *setta*. Trazia uma bolsa pendurada no ombro. Era o dia mais quente do ano. Na mão não havia um lenço, mas uma toalhinha branca que ele usava para enxugar o suor.

– Fusagi! – exclamou Nagare em vez de pronunciar o tradicional cumprimento "Olá! Seja bem-vindo!".

Inicialmente, Fusagi pareceu um pouco confuso, mas depois assentiu como resposta e foi se sentar na sua cadeira de sempre, à mesa mais próxima da entrada. Kohtake, de mãos nas costas, aproximou-se dele.

– Olá, querido! – disse ela sorrindo.

Ela não o chamava mais de Fusagi como sempre fizera.

– Desculpe, mas eu conheço a senhora?

– Sou sua esposa, meu amor.

– Esposa? Minha esposa?

– Isso.

– É uma piada... não é?

– Não. Sou mesmo sua esposa!

Sem hesitar, sentou-se na cadeira de frente para ele. Não sabendo ao certo como reagir à desconhecida se comportando daquela maneira familiar, Fusagi pareceu estar em apuros.

– É... prefiro que não tome a liberdade de se sentar aí.

– Ah, não tem problema nenhum eu me sentar aqui... sou sua esposa.

– Hum, para mim, tem. Eu não conheço a senhora.

– Bem, então vai ter que me conhecer. E vamos começar agora mesmo.

– O que diabos quer dizer com isso?

– Bem, acho que é um pedido de casamento, não?

Enquanto Fusagi olhava, boquiaberto, a mulher ali na sua frente, Kohtake sorria. Visivelmente amolado, ele buscou ajuda em Kazu, que se aproximara para lhe servir um copo d'água.

– Hum. Poderia fazer alguma coisa com essa senhora?

Um desconhecido que desse uma rápida olhada veria um casal de bom humor. Porém, prestando mais atenção a Fusagi, seria possível perceber o semblante de um homem incomodado.

– Ele parece estar um pouco chateado – observou Kazu, apoiando-o com um sorriso.

– Será? Paciência.

– Talvez seja melhor parar por aí hoje, não? – disse Nagare de trás do balcão, tentando salvar Fusagi.

Em várias ocasiões, conversas como aquela tinham acontecido entre o casal. Alguns dias, quando Kohtake contava a Fusagi que era sua esposa, ele se recusava a acreditar. Porém, estranhamente, em outros dias era diferente. Algumas vezes, ele dizia "Ah, é? É mesmo?", e aceitava. Apenas dois dias atrás ela havia se sentado de frente para ele, e os dois tinham tido uma conversa aparentemente agradável.

Durante essas conversas, falavam principalmente sobre as lembranças de suas viagens. Fusagi gostava de lhe contar que tinha viajado para tal lugar, falando dos locais que havia visitado. Sorrindo, ela o olhava e acrescentava "Ah, eu também já estive lá", e os dois ficavam absortos no papo. Kohtake tinha passado a gostar dessas interações casuais.

– Acho que sim. Em casa, eu recomeço a conversa – disse ela e voltou para o banco ao balcão, resignada com o fato de ter que, por ora, dar um tempo.

– Mas, no geral, você parece feliz com o andar da carruagem – observou Nagare.

– Ah, creio que sim.

Apesar da temperatura amena do café, Fusagi continuou enxugando o suor que se acumulava em seu rosto.

– Um café, por favor – pediu ele enquanto tirava a revista de viagem de sua bolsa a tiracolo e a abria na mesa.

– É pra já – disse Kazu sorrindo e entrou na cozinha.

Mais uma vez, Fumiko pôs-se a examinar a mulher de vestido. Kohtake estava inclinada para a frente, apoiando as bochechas nas mãos e encarando Fusagi, que folheava a revista sem perceber que estava sendo observado. Nagare, ainda observando o casal, começou a moer café com um moedor de aparência antiga. A mulher de vestido, como sempre, lia seu romance. Enquanto o aroma do café recém-moído tomava conta do ambiente, Kei saiu do cômodo dos fundos. Nagare estacou ao encontrá-la.

– Minha nossa! – exclamou Kohtake ao ver a pele de Kei.

Ela estava pálida demais, quase com um tom azulado, e andava como se fosse desmaiar.

– Você está bem?! – perguntou Nagare de maneira brusca, claramente horrorizado, pois o rosto também havia empalidecido completamente.

– Ih, minha querida. Acho melhor você ficar de repouso hoje – disse Kazu da cozinha.

– Não. Estou bem. Estou bem – garantiu Kei, fazendo o que podia para disfarçar, mas sem conseguir esconder o quanto estava mal.

– Você não parece estar se sentindo nada bem hoje – disse Kohtake, levantando-se do banco ao balcão e avaliando o estado de Kei. – Deveria estar descansando, não acha?

Mas Kei balançou a cabeça.

– Não, eu estou bem. É sério – insistiu ela, fazendo o sinal da paz com os dedos.

Mas era óbvio que ela não estava.

Kei tinha o coração fraco de nascença. Os médicos diziam para ela, de jeito nenhum, realizar atividade física intensa, então não participara de coisas como eventos esportivos quando era estudante. No entanto, ela era naturalmente sociável e independente – especialista em aproveitar a vida. Era o "talento de Kei viver alegremente", como diria Hirai.

Se não posso fazer exercícios intensos, tudo bem – é só não fazer exercícios intensos. Assim ela pensava.

Em vez de não comparecer às corridas dos eventos escolares, ela pedia a um dos garotos para empurrá-la numa cadeira de rodas. É claro que eles nunca ganhariam, mas se esforçavam ao máximo e sempre pareciam ficar bastante decepcionados quando perdiam. Nas aulas de dança, fazia movimentos lentos, contrastando completamente com os rodopios e os requebrados dos demais. Fazer as coisas de uma maneira diferente dos outros normalmente antagoniza aqueles que gostam de assegurar que não há alguém indo contra a maré, mas ninguém jamais pensava assim de Kei. Ela sempre fazia amizade com todo mundo; era esse o efeito que ela causava nos outros. Porém, independentemente da sua força de vontade ou do seu caráter, o coração de Kei parecia fraquejar com frequência. Apesar de nunca ser por períodos longos, muitas vezes Kei parava de frequentar o colégio e era hospitalizada para ser tratada. Foi no hospital, inclusive, que ela conheceu Nagare.

Tinha 17 anos e estava no segundo ano do ensino médio. No hospital, ficava confinada à cama, então sua alegria eram as conversas com quem a visitava e com as enfermeiras que entravam no quarto. Ela também gostava de ficar olhando o mundo lá fora pela janela. Um dia, enquanto fazia isso, viu no jardim do hospital um homem com ataduras dos pés à cabeça.

Não conseguiu tirar os olhos dele. Não apenas ele estava completamente enfaixado, mas era muito maior do que todas as outras pessoas. Quando uma adolescente passava na sua frente, parecia minúscula. Talvez fosse rude, mas Kei o chamava de *homem-múmia* e era capaz de passar o dia inteiro o observando sem se entediar.

Uma enfermeira lhe contou que o homem-múmia tinha sido hospitalizado após um acidente de trânsito. Ele estava atravessando a rua num cruzamento quando houve uma batida leve entre um carro e um caminhão bem na frente dele. Escapou da colisão por pura sorte; contudo, a lateral do caminhão o arrastou por cerca de vinte metros e o arremessou na vitrine de uma loja. Mas a batida em si não foi grave, e as pessoas do carro nem se machucaram. O caminhão, no entanto, subiu o meio-fio e tombou. Nenhum pedestre se feriu. Se aquilo tivesse acontecido com alguém de estatura normal, a pessoa teria morrido na hora, mas o homenzarrão logo se levantou como se nada tivesse acontecido. É claro que isso estava longe de ser a verdade, pois ele estava todo ensanguentado. Porém, apesar de seu estado, cambaleou até o caminhão capotado e perguntou: "Você está bem?". Havia gasolina pingando do veículo. O motorista estava inconsciente. O grandalhão tirou o motorista do volante e, enquanto o carregava sem esforço, no ombro, gritou para um dos espectadores: "Chame uma ambulância!". Quando a ambulância chegou, ela também levou o grandalhão. Ele estava sangrando muito de todos os cortes e arranhões, mas não tinha quebrado um osso sequer.

Após ouvir a história do homem-múmia, Kei ficou ainda mais intrigada. Logo essa curiosidade virou a maior paixonite. Ele se tornou o primeiro amor dela. Um dia, impulsivamente, foi conhecê-lo. Quando parou na sua frente, ele era ainda maior do que ela imaginara. Era como se estivesse na frente de um armário. "Acho que você é o homem com quem eu quero me casar", declarou ela sem rodeios e sem vergonha. Falou isso de maneira clara e direta para o homem-múmia – foram as primeiras palavras que disse a ele.

O homem-múmia a olhou e, por um tempo, não disse nada. Em seguida, ele deu uma resposta pragmática, mas não completamente negativa.

– Se fizer isso mesmo, você vai trabalhar num café.

E foi assim que o namoro de três anos deles começou. Depois, quando Kei tinha 20 anos e Nagare, 23, eles assinaram os papéis e se tornaram marido e mulher.

Kei foi para trás do balcão e começou a enxugar e guardar a louça, como sempre fazia. Era possível ouvir o sifão dando início ao seu gorgolejar na cozinha. Kohtake, preocupada, começou a olhar Kei, mas Kazu entrou na cozinha e Nagare voltou a moer os grãos de café. Por algum motivo totalmente desconhecido, a mulher de vestido não tirava os olhos de Kei.

– Ah! – exclamou Kohtake um pouco antes de todos ouvirem o som de vidro quebrando.

Um copo tinha caído da mão de Kei.

– Querida! Você está bem?

Kazu, normalmente tão calma e serena sob quaisquer circunstâncias, foi correndo até ela em pânico.

– Desculpa – pediu Kei, começando a juntar os cacos de vidro.

– Pode deixar, minha querida, eu limpo – respondeu Kazu enquanto endireitava Kei, que estava começando a perder força nos joelhos.

Nagare não disse nada e só fez observar.

Era a primeira vez que Kohtake via Kei em um estado mais sério. Como era enfermeira, ela lidava com doentes o tempo inteiro. No entanto, ver sua amiga tão mal a abalou a ponto de seu rosto empalidecer.

– Ô, meu amor – murmurou ela.

– Está tudo bem? – perguntou Fumiko.

Naturalmente, a situação também chamou a atenção de Fusagi, que levantou a cabeça.

– Me desculpem – pediu Kei.

– Penso que Kei deveria ir para o hospital – aconselhou Kohtake.

– Não, eu vou ficar bem, sério…

– Acho mesmo que…

Kei balançou a cabeça com teimosia. Entretanto, o peito ofegava demais. Seu estado parecia pior do que ela imaginava.

Nagare não disse nada. Entristecido, ele apenas continuou encarando a esposa.

Kei respirou fundo.

– É melhor eu me deitar – disse ela, cambaleando para o cômodo dos fundos.

Pela expressão de Nagare, ela percebera que o marido estava seriamente preocupado com o estado dela.

– Kazu, tome conta do café, por favor – pediu Nagare enquanto a acompanhava.

– Pode deixar – respondeu Kazu, parada como se estivesse pensando em outra coisa.

– Um café, por favor.

– Ah! Desculpe.

Era óbvio que Fusagi havia notado o ocorrido e esperado para fazer seu pedido. Suas palavras fizeram Kazu voltar à realidade. Ela estava tão concentrada em Kei que não tinha servido o café de Fusagi.

O dia chegou ao fim com aquele clima pesado no ar.

Desde que engravidara, sempre que tinha algum tempo livre, Kei conversava com o bebê. Com quatro semanas de gestação, ainda era cedo demais para já considerar que era um bebê, mas isso não a impedia. Pela manhã, iniciava com "bom dia", e, chamando Nagare de "papai", começava a falar sobre coisas da vida. Suas conversas imaginárias com o bebê eram a melhor parte do seu dia.

"Está vendo? Aquele ali é o seu papai!"

"O meu papai?"

"*Sou!*"

"Ele é imenso!"

"Pois é, mas não é apenas o corpo que é grande. O coração dele é gigantesco também! Ele é um papai muito carinhoso e amoroso."

"Que bom! Não vejo a hora de ver vocês."

"Papai e mamãe também não veem a hora de te ver, meu amor!"

Assim eram as conversas em que – obviamente – Kei fazia os dois papéis. Porém, a triste realidade era que o estado de Kei estava piorando à medida que a gravidez avançava. Com cinco semanas, no interior do útero, forma-se o saco gestacional, onde se encontra o embrião de um ou dois milímetros. É então que o batimento cardíaco do bebê passa a ser detectável. A partir desse momento, os órgãos começam a se formar com rapidez: os olhos, os ouvidos e a boca se desenvolvem; o estômago, os intestinos, os pulmões, o pâncreas, os neurônios e a aorta se formam; as mãos e os pés começam a se projetar. Todo esse início do desenvolvimento fetal estava afetando a saúde de Kei.

Ela também estava sentindo ondas de calor e, ao mesmo tempo, parecia febril. Os hormônios que seu corpo precisava produzir para formar a placenta a deixavam letárgica e sujeita a afluxos repentinos de sonolência. A gravidez afetava seu humor, que variava de um extremo a outro. Experimentava períodos de ansiedade, efêmeros ataques de raiva e depois se sentia deprimida. Algumas vezes os alimentos pareciam ter um gosto diferente do normal.

Apesar disso, jamais reclamou. Acostumada às estadias no hospital desde criança, aguentava firme os incômodos físicos.

Porém, nos últimos dias, seu estado havia rapidamente piorado. Dois dias antes, Nagare aproveitara-se de um breve momento a sós com o médico para pedir mais informações.

Confidenciou-lhe o doutor: "Sendo bem sincero, talvez o coração da sua esposa não consiga aguentar o parto. Os enjoos matinais começam a partir da sexta semana. Se algum desses episódios for mais forte, terá que ser hospitalizada. Se escolher ter o bebê, ela precisará entender que a possibilidade de ambos sobreviverem é muito baixa. Mesmo que sobrevivam ao nascimento, o coração dela ficará tremendamente prejudicado. Sua esposa precisa entender que isso vai diminuir a expectativa de vida dela".

E acrescentou: "Normalmente, os procedimentos de interrupção da gravidez são realizados entre seis e doze semanas. Diante do quadro da sua esposa, caso ela decida interromper a gestação, o procedimento deve ser feito o mais rápido possível". Ao voltar para casa, Nagare confrontou Kei, contando-lhe tudo que o médico dissera. Logo que ele parou de falar, ela simplesmente fez que sim.

– *Eu sei* – disse Kei, e nada mais.

Depois de fechar o café, Nagare se sentou sozinho ao balcão. O estabelecimento estava iluminado apenas pelas luminárias de teto. No balcão, vários grous de origami enfileirados que Nagare fizera com guardanapos de papel. O único barulho que se escutava era o tique-taque dos relógios de parede. As únicas coisas que se moviam eram as mãos de Nagare.

DING-DONG

Apesar do som da campainha, Nagare não reagiu. Ele apenas pôs em cima do balcão, junto com os outros, o grou de papel que tinha acabado de dobrar. Kohtake entrou no café. Resolveu dar uma passada lá, antes de voltar do trabalho para casa, por estar preocupada com Kei.

Nagare, que encarava os grous no balcão, cumprimentou-a sutilmente.

Kohtake parou na porta.

– Como ela está? – perguntou.

Kohtake sabia da gravidez desde o início, mas nunca imaginara que o estado de Kei se deterioraria com tanta rapidez. Parecia tão preocupada quanto estava mais cedo.

Nagare não respondeu de imediato. Pegou um único guardanapo e começou a dobrá-lo.

– Aguentando – disse ele.

Kohtake se sentou ao balcão, deixando um banco entre os dois.

Nagare coçou a ponta do nariz.

– Perdão por ter causado tanta preocupação – disse ele, balançando a cabeça como se estivesse se desculpando, e olhou para ela.

– Não precisa se preocupar com isso... mas ela não deveria estar no hospital?

– Eu falei para ela ir, mas ela não quer me ouvir.

– Sim, mas...

Nagare acabou de dobrar outro grou e o encarou.

– Eu era contra ela engravidar – murmurou ele com a voz fraca. Se o café não fosse tão pequeno e silencioso, Kohtake não o teria escutado. – Mas não tem nada que a faça mudar de ideia – completou, encarando Kohtake com um pequeno sorriso e depois olhando para baixo.

Nagare dissera a Kei que "era contra" eles terem o bebê, mas não conseguiu fazer mais do que isso. Ele não conseguia dizer "Não tenha o bebê", nem "Quero que tenha o bebê". Ele não conseguia escolher entre os dois, não conseguia escolher entre Kei e o bebê.

Kohtake não sabia o que dizer. Então olhou para o ventilador de teto que girava devagar.

– É duro mesmo – concordou ela.

Kazu saiu do cômodo dos fundos.

– Kazu... – sussurrou Kohtake.

Mas Kazu evitou o olhar dela e encarou Nagare. Ela não estava com aquele seu típico jeito inexpressivo; parecia triste e abatida.

– Como ela está? – perguntou Nagare.

Kazu olhou para o cômodo dos fundos. Nagare acompanhou seu olhar e viu Kei se aproximando bem lentamente. A pele ainda estava pálida, e ela estava andando um pouco sem firmeza, contudo, parecia mais no controle. Kei foi para trás do balcão e parou na frente de Nagare, encarando-o, mas ele não a olhou. Em vez disso, fitou os grous de papel no balcão. Como nem Nagare nem Kei disseram nada, o silêncio entre eles foi ficando cada vez mais constrangedor. Kohtake se sentia incapaz de se mexer.

Kazu foi para a cozinha e começou a preparar café. Pôs o filtro no funil e despejou a água quente da chaleira no globo de vidro. Como o silêncio imperava, era fácil saber o que estava fazendo, mesmo sem ninguém vê-la. Logo o conteúdo começou a ferver, e ouviu-se o borbulhar da água quente subindo pelo funil. Após alguns minutos, um aroma de café fresco espalhou-se. Como se tivesse sido despertado pelo aroma, Nagare olhou para cima.

– Me desculpe, Nagare – murmurou Kei.

– Pelo quê? – perguntou ele, encarando os grous.

– Irei ao hospital amanhã.

– …

– Preciso ser internada – disse Kei, falando cada palavra como se estivesse tentando aceitar algo com o qual ainda lutava. – Para ser sincera, creio que, depois que eu der entrada no hospital, nunca mais voltarei para casa. É uma decisão que eu não estava conseguindo tomar…

– Entendi.

Nagare cerrou os punhos com força.

Kei ergueu o queixo, e seus olhos grandes e redondos ficaram encarando o nada.

– Mas pelo jeito eu não posso continuar assim – disse ela, com os olhos se enchendo de lágrimas.

Nagare escutava em silêncio.

– Meu corpo não aguenta tanta coisa...

Kei pôs as mãos na barriga, que ainda não tinha se expandido nem um centímetro.

– Parece que ter este bebê vai me custar tudo... – disse com um sorriso de compreensão. Ela demonstrava entender o próprio corpo melhor do que ninguém. – É por isso que...

Nagare a olhou com seus olhos puxados.

– Tudo bem... – Ele não conseguiu externar mais nada. – Meu amor.

Era a primeira vez que Kohtake via Kei tão chateada assim. Como enfermeira, sabia do verdadeiro risco que Kei corria ao tentar ter um bebê com seu problema cardíaco. O corpo já se fragilizara demais, e ela ainda estava apenas se aproximando da fase dos enjoos matinais. Se tivesse escolhido não ter o bebê, todos a entenderiam, contudo, ela havia decidido ir em frente.

– Mas eu estou apavorada – murmurou Kei com a voz trêmula. – Fico me questionando se meu filhinho ou minha filhinha será feliz... pergunto: "O bebê da mamãe vai se sentir sozinho?", "Ele vai chorar por causa disso?", "Talvez eu só consiga te gerar, meu bebê. Você me perdoa?", estou sempre conversando com ele.

E aguardava em vão por uma resposta.

As lágrimas escorriam pelas bochechas.

– Eu estou com medo... é assustador pensar que não devo estar aqui para cuidar do bebê – disse ela, olhando diretamente para Nagare. – Não sei o que fazer. Quero que ele ou ela seja feliz. Como um desejo tão simples pode ser tão terrivelmente assustador? – questionou ela chorando.

Nagare não respondeu. Ele apenas encarou os grous de papel no balcão.

Flap.

A mulher de vestido fechou o romance. Ela não o terminara; havia um marca-páginas branco com uma fita vermelha no meio do livro. Ao ouvir o livro fechar, Kei olhou para ela. A mulher ergueu a vista para Kei e a encarou por um tempo.

Ainda com o olhar fixo em Kei, a mulher piscou os olhos devagar, apenas uma vez. Em seguida, levantou-se delicadamente da cadeira. Era como se a piscada tivesse sido para comunicar alguma coisa, mas ela passou por trás de Nagare e Kohtake e entrou no banheiro como se algo a puxasse para lá.

A cadeira dela – *aquela* cadeira – estava vazia.

Kei começou a se aproximar dela como se algo a atraísse. Então, ao parar na frente *daquela* cadeira – a que faz a pessoa viajar no tempo –, ela a encarou.

– Kazu... pode fazer um café para mim, por favor? – pediu Kei com a voz fraca.

Ao ouvir o pedido, Kazu pôs a cabeça para fora da cozinha e viu Kei ao lado da cadeira. Não fazia ideia sobre o que Kei estava pensando.

Nagare girou o corpo e viu as costas de Kei.

– Ah, *péralá*... não está mesmo pensando nisso, né?

Kazu viu que a mulher de vestido não estava mais lá e se lembrou da conversa que tinha acontecido mais cedo. Fumiko Kiyokawa havia perguntado se era possível visitar também o futuro.

O desejo de Fumiko era simples: queria saber se, em três anos, Goro teria voltado dos Estados Unidos e se casado com ela. Kazu explicou que era possível ir para o futuro, mas que ninguém fazia isso porque não adiantava nada. No entanto, era exatamente o que Kei queria fazer.

– Eu só quero dar uma olhada.

– Calma.

– Se eu puder ver só um instante já bastaria...

– Está mesmo querendo ir para o futuro? – perguntou Nagare, com um tom mais brusco do que o normal.

– É tudo que eu posso fazer…

– Mas você nem sabe se podem se encontrar.

– …

– De que adianta ir para o futuro? E se vocês não conseguirem se encontrar?

– Eu entendo, mas…

Kei olhou nos olhos de Nagare, implorando.

Mas Nagare só conseguiu pronunciar uma palavra:

– Não.

Então, virou-se de costas para Kei e se afastou em silêncio.

Nagare nunca impedira Kei de fazer nada. Ele respeitava sua personalidade insistente e determinada. Nem argumentou muito contra a decisão dela de arriscar a própria vida para ter um bebê. Porém, a isso ele se opôs.

Ele não estava preocupado apenas com a possibilidade de ela não conseguir ter o bebê. Nagare achava que, caso ela fosse para o futuro e descobrisse que o menino ou a menina não existia, a força interior que a sustentava seria destruída.

Kei estava parada diante da cadeira, fraca, mas desesperada para fazer a viagem. Ela não desistiria de sua decisão. Não arredaria pé de sua posição na frente da cadeira.

– Preciso que você decida quantos anos no futuro – disse Kazu de repente. Ela se aproximou e retirou a xícara que a mulher de vestido tinha usado. – Quantos anos? E que mês, dia e horário? – perguntou, olhando bem nos seus olhos e fazendo que sim sutilmente.

– Kazu! – gritou Nagare com toda a autoridade possível.

Porém, Kazu o ignorou e, com sua expressão impassível de sempre, disse:

– Eu vou me lembrar. Vou garantir o encontro de vocês…

– Kazu, querida.

Kazu estava prometendo que garantiria que o filho ou filha dela estaria no café no horário que ela escolhesse do futuro.

– Fique tranquila, não precisa se preocupar – disse ela.

Kei a olhou nos olhos e fez que sim sutilmente.

Kazu tinha a impressão de que a deterioração da condição de Kei nos últimos dias não tinha sido causada somente pelas mudanças hormonais da gravidez, mas também devido ao estresse da situação toda. Kei não tinha medo de morrer. A ansiedade e a tristeza originavam-se da ideia de que ela não veria a criança crescer. Isso causava um grande aperto no seu coração e minava sua força física. Quanto mais sua força se esvaía, mais sua ansiedade aumentava. Pode-se dizer que a negatividade alimenta a doença. Kazu temia que, se Kei continuasse daquele jeito, seu estado seguiria se enfraquecendo à medida que a gravidez progredisse, e talvez nem mãe nem bebê sobrevivessem.

Um vislumbre de otimismo reapareceu nos olhos de Kei.

Poderei conhecer meu filho ou minha filha.

Era uma esperança ínfima. Kei olhou para Nagare, sentado ao balcão. Os dois se entreolharam.

Ele ficou em silêncio por um instante, mas, com um rápido suspiro, virou-se.

– Faça como achar melhor – disse, virando-se no banco para ficar de costas para ela.

– Obrigada – agradeceu para as costas dele.

Após ter certeza de que Kei conseguiria se inserir entre a mesa e a cadeira, Kazu pegou a xícara da mulher de vestido e foi para a cozinha. Kei inspirou fundo, sentou-se devagar na cadeira e fechou os olhos. Kohtake estava com as mãos unidas na frente do corpo, como se estivesse em oração, enquanto Nagare fitava silenciosamente os grous de papel diante dele.

Foi a primeira vez que Kei viu Kazu contrariar Nagare. Fora do café, era raro Kazu se sentir à vontade para falar com algum desconhecido. Ela estudava na Universidade de Artes de Tóquio, mas Kei nunca a vira com ninguém que pudesse ser descrito como um amigo. Ela era uma pessoa mais para fechada. Quando não estava na universidade, ajudava no café, e, após cumprir sua função, ia para o seu apartamento de quarto e sala e trabalhava em seus desenhos.

Os desenhos de Kazu eram hiper-realistas. Usando apenas lápis, ela criava imagens que pareciam tão reais quanto fotografias, mas só conseguia desenhar coisas que tinha observado; seus desenhos nunca retratavam algo imaginário ou inventado. As pessoas não veem e escutam as coisas tão objetivamente quanto se imagina. As informações visuais e auditivas que entram na nossa mente são distorcidas por experiências, pensamentos, circunstâncias, fantasias, preconceitos, preferências, e também pelo conhecimento, pela consciência e por outros inúmeros processos cerebrais. O esboço de Pablo Picasso de um homem nu, que ele fez aos oito anos, é impressionante. A pintura que fez aos 14 anos de uma cerimônia de comunhão católica é muito realista. No entanto, posteriormente, após o choque devido ao suicídio do seu melhor amigo, pintou quadros com tons de azul que ficaram conhecidos como seu período azul. Depois, ele conheceu um novo amor e criou as obras coloridas do seu período rosa. Influenciado pelas esculturas africanas, tornou-se parte do movimento cubista. Em seguida, adotou um estilo neoclássico, depois partiu para o surrealismo e terminou pintando os famosos quadros *Guernica* e *Mulher Chorando*.

Em conjunto, essas obras de arte mostram o mundo visto pelos olhos de Picasso. Elas são o resultado de algo passando pelo filtro que é Picasso. Até o momento, Kazu nunca desejara contestar ou influenciar as opiniões e os comportamentos dos outros, pois seus próprios sentimentos não faziam parte do filtro pelo qual ela interagia com o mundo. Não importava o que acontecesse, ela tentava não influenciar a situação, mantendo-se a uma distância segura. Esse era o lugar de Kazu – era assim que ela vivia.

E era assim que ela tratava todos. Seu jeito frio ao lidar com os clientes que queriam voltar ao passado era sua maneira de dizer: "Seus motivos para querer voltar ao passado não são da minha conta". Porém, agora era diferente. Tinha feito uma promessa. Estava incentivando Kei a ir para o futuro, e suas ações estavam influenciando diretamente o futuro de Kei. Kei pensou que Kazu devia ter seus próprios motivos para estar se comportando atipicamente, mas eles não eram explícitos.

– Querida.

Kei abriu os olhos ao ouvir a voz de Kazu. Parada ao seu lado, Kazu estava segurando uma bandeja prateada com uma xícara branca e um elegante bule prateado.

– Você está bem?

– Estou, sim.

Kei endireitou a postura, e Kazu pôs em silêncio a xícara de café na frente dela.

– Quantos anos a partir de agora? – perguntou baixinho, inclinando um pouco a cabeça.

Kei pensou por um instante.

– Eu quero ir para daqui a dez anos, no dia 27 de agosto – declarou.

Ao ouvir a data, Kazu abriu um sorrisinho.

– Tudo bem – respondeu. Era o aniversário de Kei, uma data que nem Nagare nem Kazu esqueceriam. – E o horário?

– Às 15h – respondeu Kei de imediato.

– Daqui a dez anos, no dia 27 de agosto, às 15h.

– Sim, por favor – disse Kei, sorrindo.

Kazu assentiu e segurou a alça do bule.

– Está bem.

Seu jeito mais fechado de sempre estava de volta.

Kei olhou para Nagare.

– Até daqui a pouco – disse ela, soando lúcida.

Ele não olhou para trás.

– Tá bem, combinado.

Enquanto Kei e Nagare interagiam, Kazu ergueu o bule e o aproximou da xícara.

– Tome o café antes que ele esfrie – sussurrou ela.

As palavras ressoaram pelo silencioso café. Kei conseguia sentir a tensão no ambiente.

Kazu começou a servir o café. Um fio delgado e preto escorreu do bico do bule, enchendo a xícara aos pouquinhos. Kei não encarava a xícara, e sim Kazu. Quando o café chegou ao topo, Kazu notou o olhar dela e sorriu ternamente, como se quisesse dizer: "Vou garantir o encontro de vocês...".

A fumacinha subiu da xícara cheia de café. Kei sentiu o corpo espiralar como se fosse aquela fumacinha. Por um breve instante, tornou-se leve como uma nuvem, e tudo ao seu redor começou a fluir como se ela estivesse no meio de um filme em *fast-forward*.

Normalmente, Kei reagiria observando o cenário com os olhos brilhantes de uma criança num parque de diversões. Contudo, a cabeça e o humor não estavam lhe permitindo apreciar aquela experiência tão estranha. Nagare havia se oposto àquilo, mas Kazu tinha se prontificado a lhe dar uma chance. Agora, ela estava esperando para conhecer a criança. Entregando-se à tontura cintilante, pensou na própria infância.

O pai de Kei, Michinori Matsuzawa, também tinha o coração fraco. Desmaiara no trabalho quando Kei estava no terceiro ano do ensino fundamental. A partir disso, ele passou muito tempo nos hospitais e faleceu apenas um ano depois. Kei tinha somente nove anos e era uma menina naturalmente sociável, sempre feliz e sorridente.

Porém, ao mesmo tempo, conseguia ser sensível e seca. A morte do pai deixara suas emoções sombrias. Kei havia conhecido a morte e a chamava de "a caixa muito escura". Quando a pessoa entrava naquela caixa, nunca mais saía. Seu pai estava preso lá dentro, um lugar onde não se encontrava mais ninguém – era terrível e solitário. Quando pensava no pai, ficava sem dormir. Aos poucos, o sorriso foi esmorecendo...

Já sua mãe, Tomako, reagira à morte do marido da maneira oposta. Ela passava dias sorrindo sem parar. Nunca tinha sido uma pessoa muito animada. Ela e Michinori pareciam um casal comum e sem graça. Tomako chorou no velório, mas, depois, nunca aparecia com o rosto infeliz. Sorria muito mais do que antes. Kei não entendia, de jeito nenhum, por que sua mãe estava sempre sorrindo. Perguntou-lhe:

– Por que está tão feliz assim, se o papai morreu? Não está triste?

Tomako, que sabia que Kei descrevia a morte como "a caixa muito escura", respondeu:

– Bem, se seu pai pudesse ver a gente de sua caixa muito escura, o que acha que ele pensaria?

Munida do mais gentil juízo possível acerca do pai de Kei, Tomako estava se esforçando para responder à pergunta da filha da melhor maneira possível. "Por que está tão feliz?"

– O seu pai não entrou naquela caixa porque queria. Havia um motivo. Ele precisou partir. Se seu pai pudesse ver o mundo da caixa dele e te visse chorando todos os dias, o que acha que ele pensaria? Eu acho que ele ficaria triste. Você sabe o quanto ele te amava. Não acha que ele sofreria ao ver o rosto triste de alguém que tanto amava? Então por que não sorri todos os dias para que seu pai possa sorrir na caixa dele? O sorriso da gente faz ele sorrir. A felicidade da gente faz seu pai feliz dentro da caixa dele. – Ao ouvir tal explicação, lágrimas brotaram nos olhos de Kei.

Abraçando a filha com bastante força, os olhos de Tomako brilharam com as lágrimas que ela estava escondendo desde o dia seguinte ao velório.

Um dia será a minha vez de entrar na caixa...

Pela primeira vez, Kei entendeu o quanto devia ter sido difícil para o pai. Sentiu um aperto no coração ao pensar o quanto ele devia ter ficado arrasado por saber que seu tempo estava se esgotando e que precisaria deixar a família. Porém, ao finalmente refletir sobre os sentimentos do pai, ela também entendeu mais plenamente a grandeza das palavras de sua mãe. Kei compreendeu que somente um grande amor e o fato de conhecer bem o próprio marido a fariam dizer aquelas coisas.

Após um tempo, tudo em volta dela desacelerou e se firmou aos poucos. Ela retornou do vapor à forma corpórea, voltando a ser Kei.

Graças a Kazu, ela havia chegado – dez anos no futuro. A primeira coisa que fez foi dar uma olhada ao redor com cautela.

Os grossos pilares e a imensa viga de madeira que atravessava o teto eram de um marrom-escuro lustroso, como a casca da castanha portuguesa. Em uma das paredes, os três grandes relógios. As laterais de tom cáqui, cobertas por um reboco de argila, tinham a pátina deixada por mais de cem anos; Kei achou aquilo maravilhoso. Devido à tênue iluminação que coloria o café inteiro com uma gradação sépia – mesmo durante o dia –, não havia a mínima sensação de passagem do tempo. A atmosfera retrô do café tinha um efeito reconfortante. No teto, um ventilador de madeira que girava devagar sem fazer barulho. Nada indicava que ela estava dez anos no futuro.

Porém, o calendário ao lado da caixa registradora mostrava que de fato era 27 de agosto, e Kazu, Nagare e Kohtake, que estavam no café com ela até momentos antes, agora já não se encontavam em canto algum.

No lugar deles, havia um homem de pé atrás do balcão, encarando-a.

Kei ficou confusa ao vê-lo. Ele vestia camisa branca, colete preto e gravata-borboleta, e seu corte de cabelo era curto e tradicional. Obviamente, ele trabalhava no café, pois estava atrás do balcão e não ficou surpreso ao ver Kei simplesmente aparecer na cadeira de repente, então devia saber da natureza especial do lugar onde ela estava sentada.

Ele não reagiu, ficou apenas encarando Kei. Não interagir com a pessoa que tinha aparecido era exatamente o que um funcionário do café faria. Após um tempo, ele começou a secar ruidosamente o copo que estava segurando. Aparentava ter trinta e tantos anos, talvez quarenta e poucos – e parecia um garçom comum. Não tinha uma aparência lá muito simpática, e havia uma grande cicatriz de queimadura que ia da sobrancelha direita até a orelha direita, dando-lhe um ar um tanto intimidante.

– Hum, com licença…

Normalmente, Kei não ligava para o fato de a pessoa parecer simpática ou não. Era capaz de puxar assunto com qualquer um e de conversar como se fosse sua amiga havia anos. Entretanto, naquele momento, estava se sentindo um pouco confusa com tudo. Falou com o homem como se fosse uma estrangeira tendo dificuldades com uma segunda língua.

– Hum, cadê o gerente?

– O gerente?

– O gerente do café. Ele está por aqui?

O homem atrás do balcão guardou o copo seco na prateleira.

– Acho que sou eu mesmo… – respondeu ele.

– O quê?

– Desculpe. O que foi?

– É você mesmo… Você é o gerente?

– Sou.

– Daqui?

– Isso.

– Deste café?

– Isso.

– Tem certeza?!

– Hã-hã.

Não pode ser! Kei recostou o corpo, surpresa.

O homem ficou assustado com a reação dela. Parou o que estava fazendo e saiu de trás do balcão.

– O que… qual é o problema exatamente? – perguntou ele, nitidamente incomodado. Talvez fosse a primeira vez que alguém reagia daquele jeito ao descobrir que ele era o gerente. Mas a expressão de Kei parecia exagerada.

Kei estava se esforçando muito para entender a situação. O que tinha acontecido nesses dez anos? Ela não conseguia entender como aquilo era possível. Eram tantas perguntas que ela queria fazer para o homem a sua frente, mas seus pensamentos estavam embaralhados, e ela não tinha tempo a perder. O café esfriaria e sua decisão de vir para o futuro seria em vão.

Kei se recompôs. Olhou para o homem, que a observava preocupado.

Preciso me acalmar…

– Hum…

– Sim?

– E o antigo gerente?

– Antigo gerente?

– Um cara grandão, de olhos bem puxados…

– Ah, Nagare…

– Isso!

Ao menos ele conhecia Nagare. Kei percebeu que estava se inclinando para a frente.

– Nagare está em Hokkaido agora.

– Hokkaido…

– Isso.

Ela piscou os olhos, embasbacada. Precisava ouvir aquilo de novo.

– Hã? Hokkaido?

– Sim. Hokkaido.

Kei começou a se sentir zonza. Não estava sendo como havia planejado. Desde quando conhecera Nagare, ele jamais mencionara Hokkaido.

– Mas por quê?

– Bem, isso eu não sei dizer – respondeu ele enquanto esfregava a pele acima da sua sobrancelha direita.

Kei ficou extremamente irritada. Nada estava fazendo o menor sentido.

– Ah, era Nagare que você queria encontrar?

Sem saber o objetivo de Kei, o homem havia se equivocado em sua suposição, mas ela até já tinha perdido a vontade de responder. Era tudo inútil. Nunca tinha sido muito boa em agir racionalmente sobre as coisas; sempre tomava suas decisões guiada pela intuição. Já diante de uma situação assim, não conseguia entender o que estava acontecendo nem como aquilo era possível. Achava que, se pudesse ir para o futuro, conheceria a criança. Quando começou a desanimar, o homem perguntou:

– Então... Foi para encontrar Kazu que você veio?

– A-há! – exclamou Kei, com uma esperança repentina.

Como ela poderia ter esquecido. Havia se concentrado nas perguntas sobre o *gerente*, mas esquecera algo importante: tinha sido Kazu que a incentivara a ir ao futuro; tinha sido ela que fizera a promessa. De que importava se Nagare estava em Hokkaido. Contanto que Kazu estivesse por ali, não teria problema. Kei tentou conter seu entusiasmo crescente.

– E Kazu? – perguntou ela com rapidez.

– O quê?

– Kazu! Ela está aqui?

Se o homem estivesse mais perto, Kei provavelmente o teria agarrado pela gola da camisa.

Sua intensidade o fez recuar alguns passos.

– Kazu está ou não está aqui?

– Hum, veja só...

O homem desviou a vista, confuso com a velocidade das perguntas de Kei.

– Na verdade... é que... Kazu também foi para Hokkaido – respondeu o homem com cautela.

Então é isso... A resposta do homem havia destruído sua esperança por completo.

– Ah, não. Nem Kazu está aqui?

Ele olhou para Kei, preocupado. Parecia que o espírito dela tinha saído do corpo.

– Você está bem? – perguntou ele.

Kei olhou para o homem com uma cara que dizia "Não é totalmente óbvio que não?", mas ele não fazia ideia da sua situação, então ela não podia falar nada.

– Estou, sim... – respondeu, desanimada.

O homem inclinou a cabeça, confuso, e voltou para trás do balcão.

Kei começou a passar a mão na barriga.

Não sei por que, mas se eles estão em Hokkaido, esta criança também deve estar com eles... pelo jeito, não vai dar certo.

Então, deixou os ombros caírem e se curvou com tristeza. Sempre seria uma aposta. Se a sorte estivesse do lado dela, ela conheceria a criança. Kei sabia disso. Se encontrar as pessoas no futuro fosse tão fácil, mais gente faria isso.

Por exemplo, se Fumiko Kiyokawa e Goro tivessem prometido que se encontrariam no café em três anos, claro que seria possível que isso acontecesse. Contudo, para tal, Goro teria que cumprir a promessa e comparecer. Havia inúmeros motivos para ele não conseguir cumpri-la. Goro poderia vir de carro e ficar preso no trânsito ou decidir ir a pé e se deparar com interdições no caminho. Alguém poderia lhe pedir informações de como chegar a um certo lugar, ou ele poderia se perder... e chegar atrasado. Talvez até acontecesse uma tempestade repentina ou um desastre natural. Ele poderia dormir até mais tarde ou simplesmente confundir o horário que os dois haviam marcado. Em outras palavras, o futuro é incerto.

Com isso em mente, era possível que Nagare e Kazu estivessem em Hokkaido, independentemente do motivo. Hokkaido ficava a mil quilômetros de Tóquio, e foi um choque descobrir que eles estavam tão longe. No entanto, ainda que estivessem a uma mera estação de trem de distância, já não seriam capazes de chegar ali antes de o café esfriar.

Mesmo que, ao voltar para o presente, ela contasse sobre a mudança, o fato de que eles estavam em Hokkaido nada alteraria... Kei sabia da regra. A sorte dela tinha acabado. Simples assim. Após refletir, começou a se sentir mais serena. Pegou a xícara e tomou um gole. Ainda estava quentinho. Seu humor podia variar com rapidez: fazia parte do seu talento de viver alegremente. Seus altos e baixos podiam ser extremos, mas nunca duravam muito. Era uma pena que ela não conheceria a criança, mas não estava arrependida. Tinha ido atrás dos seus desejos e conseguira ir para o futuro. Também não estava zangada com Kazu e Nagare. Eles certamente tinham bons motivos e haviam se esforçado ao máximo para encontrá-la ali.

Para mim, a promessa foi feita apenas alguns minutos atrás. Aqui, são dez anos depois. Enfim... não tem mais jeito. Quando eu voltar, posso muito bem dizer que a gente se encontrou e...

Kei estendeu o braço para pegar o pote de açúcar na mesa.

DING-DONG

Bem na hora em que ela se preparava para pôr o açúcar no café, a campainha tocou, e, por força do hábito, exclamaria "Olá, seja bem-vindo!", mas o gerente se manifestou antes.

Kei mordeu o lábio e olhou para a entrada.

– Ah, é você – disse o homem.

– Oi, voltei – anunciou uma adolescente que deveria estar no começo do ensino médio, de seus 14 ou 15 anos.

Ela estava com uma roupa apropriada para o verão: uma camisetinha branca, calça jeans cropped e sandálias de corda. O cabelo estava bem amarrado num rabo de cavalo preso com uma fivela vermelha.

Ah... a garota daquele dia.

Kei a reconheceu assim que viu seu rosto. Era a tal que tinha vindo do futuro e pedido para tirar uma foto com ela. Da outra vez, estava com roupas de inverno e o cabelo era curto, então ela estava um pouco diferente. Mas Kei se lembrou de como tinha percebido seus olhos grandes e meigos.

Então foi aqui que a gente se conheceu.

Kei fez que sim para si mesma, compreendendo tudo, e cruzou os braços. Tinha achado estranho receber a visita de uma pessoa que não conhecia, mas agora fazia sentido.

– Nós tiramos uma foto juntas, não foi? – disse ela para a adolescente.

Mas a garota ficou confusa.

– Desculpe, do que está falando? – perguntou, hesitante.

Kei percebeu seu engano.

Ah, entendi...

A adolescente devia ter voltado para o passado depois deste encontro. Assim, obviamente, a pergunta de Kei não faria sentido algum naquele momento.

– Ah, deixa pra lá, não é nada – disse ela, sorrindo para a garota.

A adolescente, contudo, parecia incomodada. Fez que sim educadamente e foi para o cômodo dos fundos.

Bem, agora estou me sentindo muito melhor.

Kei estava bem mais feliz. Tinha vindo para o futuro e descoberto que Kazu e Nagare não estavam mais ali e que, no lugar deles, havia um homem que ela não reconhecia. Kei começara a se sentir deprimida com a ideia de voltar para casa sem que nada tivesse acontecido como ela imaginara. Porém, tudo isso mudou quando a adolescente apareceu.

Ela tocou na xícara para conferir que ainda estava morna.

Precisamos nos tornar amigas antes que o café esfrie.

Ao pensar nisso, uma sensação de alegria preencheu seu peito – seria um encontro entre pessoas que estavam a dez anos de distância.

A garota reapareceu.

Ah…

Ela estava segurando um avental vinho.

Era o avental que eu usava!

Kei não havia se esquecido do seu objetivo original. Contudo, não era de ficar remoendo sobre coisas que não iam acontecer. Então, alterou seu plano: ela faria amizade com aquela jovem e interessante atendente. O homem deu uma espiada da cozinha e olhou para a garota de avental.

– Ah, você nem precisa me ajudar hoje. Afinal, temos só uma cliente.

Mas a garota não respondeu e ficou parada atrás do balcão. O homem não pareceu a fim de insistir e voltou para a cozinha. A adolescente começou a limpar o balcão.

Ei! Olhe pra cá!

Kei estava tentando desesperadamente chamar a atenção da garota e balançava o corpo de um lado para o outro, mas ela não levantou o olhar sequer uma vez. Isso não diminuiu o entusiasmo de Kei.

Se está ajudando aqui, talvez seja a filha do novo dono?

Kei considerou essa possibilidade.

Bip-bip, bip-bip… bip-bip, bip-bip

Ouviu-se o som perturbador de um telefone tocando no cômodo dos fundos.

De repente, Kei se conteve para não ir atender. Dez anos tinham se passado, mas o toque do telefone continuava o mesmo.

Ih… cuidado… foi por pouco…

Ela quase descumpriu a regra e levantou da cadeira. Poderia sair do seu lugar, mas, se fizesse isso, voltaria à força ao presente.

O homem saiu da cozinha, dizendo que atenderia, e entrou no cômodo dos fundos. Kei fez um gesto exagerado como se estivesse enxugando a testa e suspirou aliviada. Escutou o homem falando.

– Sim, alô? Ah, oi! Sim, ela está... Ah, tá bem. Espera. Vou até lá e...

De repente, ele saiu do cômodo dos fundos.

Hã?

O homem trouxe o telefone para Kei.

– Telefone – disse ele enquanto entregava-lhe o aparelho.

– Pra mim?

– É Nagare.

Ao ouvir o nome de Nagare, Kei imediatamente pegou o telefone.

– Oi! Por que está em Hokkaido? Pode me explicar o que está acontecendo? – pediu ela com a voz alta o bastante para ressoar pelo café inteiro.

O homem, ainda sem entender a situação, inclinou a cabeça confuso, coçou a sobrancelha e voltou para a cozinha.

A adolescente não reagiu, como se fosse indiferente à voz alta de Kei, e apenas continuou o que estava fazendo.

– Como assim não tem tempo?! Sou eu que não tenho tempo! – O café estava esfriando até mesmo enquanto ela falava. – Mal consigo te escutar! O quê?

Estava segurando o telefone no ouvido esquerdo enquanto tampava o direito com a outra mão. Por algum motivo, havia um baita barulho de fundo do outro lado da linha, ficava difícil escutar qualquer coisa.

– O quê? Uma colegial? – Ela repetiu para Nagare repetir o que tinha dito. – Sim, ela está aqui. A que visitou o café há umas duas semanas; ela veio do futuro para tirar uma foto comigo. Sim, isso. O que tem ela? – perguntou Kei enquanto fitava a garota, que, apesar de evitar o olhar de Kei, tinha parado o que estava fazendo.

Por que será que ela parece tão ansiosa?, pensou Kei enquanto a conversa continuava. Ela estava incomodada, mas precisava se concentrar e ouvir as importantes informações que Nagare estava dando.

– Eu já disse, mal consigo te escutar. Hã? O quê? Essa garota?!

Nossa filha.

Naquele momento, o relógio do meio começou a bater, *drim, dong... drim, dong...* dez vezes.

Foi então que Kei percebeu a hora pela primeira vez. Não havia chegado no futuro às 15h. Eram 10h da manhã. Seu sorriso desapareceu.

– Ah, tá bem. Certo – respondeu ela com a voz fraca.

Então desligou e pôs o telefone na mesa.

Kei estava querendo conversar com a garota. Mas agora seu rosto estava pálido e retraído, sem nenhum sinal da expressão animada e esperançosa de alguns momentos antes. A adolescente tinha parado o que estava fazendo e também parecia completamente apavorada.

Kei estendeu o braço devagar e segurou a xícara para conferir a temperatura do café. Ainda estava quente. Tinha tempo antes que o café esfriasse por completo.

Virou-se e olhou a garota outra vez.

É a minha...

A ficha caiu de repente e Kei notou que estava frente a frente com a filha. Devido ao chiado, tinha sido difícil ouvir a ligação, mas o principal ela havia entendido:

"Você planejou viajar dez anos para a frente, mas houve algum erro e foram quinze. Parece que houve uma confusão, e dez anos e 15h se transformaram em quinze anos e 10h. Quando você voltou do futuro, a gente ficou sabendo disso, mas agora estamos em Hokkaido por motivos inevitáveis que não posso explicar porque não daria tempo. A garota na sua frente é a nossa filha. Você não tem muito tempo sobrando, então apenas fique olhando a nossa filha toda crescida e saudável e depois volte para casa."

Após dizer tudo isso, Nagare deve ter se preocupado com o tempo que restava a Kei, pois ele simplesmente encerrou a ligação. Depois de descobrir que a garota na sua frente era sua filha, de repente Kei não sabia mais como falar com ela.

Mais do que confusão e pânico, ela sentia um arrependimento enorme.

Arrependia-se de algo bem simples. Tinha certeza de que a adolescente sabia que ela era a sua mãe. Porém, Kei presumira que a garota devia ser filha de outra pessoa, pois a diferença de idade era grande demais. Embora ainda não o tivesse reparado, de repente ouviu o tique-taque dos ponteiros dos relógios de parede. Eles pareciam avisar: "Tique-taque, tique-taque, anda que o café está esfriando!".

No entanto, na expressão triste da adolescente, Kei viu a resposta da pergunta que ela queria fazer, mas não tinha conseguido: *pode me perdoar por eu não ter conseguido fazer mais do que te dar à luz?* Kei sentiu um aperto no coração. Não sabia o que dizer.

– Como você se chama? – perguntou Kei.

Sem responder a essa simples pergunta, a garota abaixou a cabeça em silêncio.

Kei interpretou isso como mais uma prova de que ela a culpava. Sem conseguir suportar o silêncio, também abaixou a cabeça. Então…

– Miki – disse a garota com uma vozinha triste, esvaída.

Era tanta coisa que Kei desejava perguntar… Porém, ao perceber o quanto a voz de Miki parecia fraca, ela ficou com a impressão de que a adolescente estava relutante em falar com ela.

– Miki, ah. Que nome bonito…

Kei não conseguiu externar mais nada. Miki ficou em silêncio. Então, olhou para Kei como se não tivesse gostado da reação e saiu correndo para o cômodo dos fundos. Naquele momento, o homem pôs a cabeça para fora da cozinha.

– Miki, você está bem? – perguntou, mas a adolescente o ignorou e entrou no quarto.

DING-DONG

– Olá, seja bem-vindo!

Uma mulher entrou bem na hora em que o homem disse isso. Ela estava de blusa branca de mangas curtas, calça preta e avental vinho. Devia estar correndo no sol quente, pois estava esbaforida e encharcada de suor.

– Ah! – exclamou Kei, reconhecendo-a.

Ou ao menos ela ainda era reconhecível. Ao ver a figura ofegante, Kei realmente sentiu que quinze anos haviam se passado. Era Fumiko Kiyokawa, a mulher que, naquele mesmo dia, tinha perguntado a Kei se ela estava bem. Fumiko era toda esbelta na época, mas agora estava um tanto cheinha.

Fumiko percebeu que Miki não estava ali.

– Cadê a Miki?! – perguntou ela ao homem.

Fumiko devia saber que Kei ia aparecer naquele horário e naquele dia. Ela parecia estar agindo com urgência. O homem obviamente enervara-se com o tom de cobrança dela.

– Nos fundos – respondeu ele, ainda sem entender o que estava acontecendo.

– Por quê? – perguntou ela, batendo a palma no balcão.

– Por que o quê? – questionou ele secamente, e começou a esfregar a cicatriz acima da sobrancelha direita, confuso, sem entender o motivo de estar levando a culpa.

– Não acredito nisso – disse ela suspirando e o fulminando com o olhar.

Porém, Fumiko não queria perder tempo com acusações. Ela já estava errada por ter se atrasado para um acontecimento tão importante.

– Então é você que tem cuidado do café? – perguntou Kei com a voz fraca.

– Hum, isso – respondeu Fumiko, olhando-a diretamente. – Você falou com a Miki?

Era uma pergunta tão direta que Kei se sentiu constrangida demais para responder e apenas olhou para baixo.

– Vocês duas conversaram direito? – insistiu Fumiko.

– Ah, sei lá... – murmurou Kei.

– Pode deixar, eu vou atrás dela.

– Não, não precisa! – pediu Kei com mais clareza.

Fumiko, que já estava se dirigindo aos fundos, parou.

– Por que não precisa?

– Já está bom – disse Kei com dificuldade. – Nós vimos o rosto uma da outra.

– Ah, deixa disso.

– Ela parecia que não queria me ver...

– Ah, mas ela vai querer, sim! – exclamou Fumiko, contradizendo Kei. – Miki estava querendo muito te encontrar. Faz tanto tempo que espera pelo dia de hoje...

– Mas acho que eu causei tristeza demais a ela.

– É claro que não foi fácil e que em certos momentos...

– Foi o que imaginei...

Kei estendeu a mão para o café. Fumiko reparou.

– Então vai simplesmente voltar e deixar as coisas como estão? – perguntou Fumiko, percebendo que não estava conseguindo convencê-la a ficar.

– Poderia apenas dizer a ela que eu lamento muito e que...

Ao ouvir as palavras de Kei, a expressão de Fumiko entristeceu-se de repente.

– Mas é que... não acho que esteja falando sério. Você se arrepende de ter gerado a Miki? Não percebe que, ao dizer que lamenta, fica parecendo que ter engravidado e tido sua filha foi um erro?

Ela ainda não nasceu de mim. Não nasceu. Mas não me arrependo de ter decidido tê-la.

Ao ver Kei nitidamente fazer que não, Fumiko disse:

– Então eu vou chamá-la. – Kei não conseguiu responder. – Eu vou buscá-la.

Fumiko nem esperou Kei reagir. Ela simplesmente foi para o cômodo dos fundos, sabendo muito bem que não tinha tempo a perder.

– Ei, Fumiko – chamou o homem enquanto a seguia até os fundos.

Ih, o que devo fazer?

Ao ficar sozinha no café, Kei encarou a xícara a sua frente.

Fumiko tem razão. Mas assim fica mais difícil ainda saber o que dizer.

Então Miki apareceu; Fumiko estava com as mãos nos ombros dela.

Miki olhava para o chão, e não para Kei.

– Vamos, querida, não desperdice este momento – encorajou-a Fumiko.

Miki…

Kei queria falar o nome dela, mas a voz não saiu.

– Vá, anda – incentivou-a Fumiko, tirando as mãos dos ombros de Miki.

Fumiko olhou para Kei rapidamente e logo voltou para os fundos.

Mesmo depois de Fumiko ir embora, Miki continuou encarando o chão em silêncio.

Vou precisar dizer alguma coisa…

Kei tirou a mão da xícara e encheu os pulmões.

– Então… você está bem? – perguntou ela.

Miki ergueu um pouco a cabeça e olhou para Kei.

– S-sim – disse ela com a voz baixa e hesitante.

– Você ajuda aqui, é?

– É.

As respostas de Miki eram diretas e monossilábicas. Kei estava achando difícil dar sequência à conversa.

– Nagare e Kazu estão em Hokkaido?

– Sim.

Miki continuou evitando olhar para o rosto de Kei. Toda vez que ela respondia, sua voz ficava um pouco mais baixa. Não parecia querer muito papo.

Sem pensar muito, Kei perguntou:

– Por que ficou aqui?

Xiii…

Kei se arrependeu da pergunta na mesma hora em que ela saiu da sua boca. Ao perceber que esperava que Miki dissesse que queria conhecê-la, Kei percebeu o quanto aquela pergunta tão direta poderia soar insensível. Ela olhou para baixo, envergonhada.

Mas então Miki respondeu:

– Bem… – começou ela em voz baixa – agora sou eu que preparo o café para as pessoas que se sentam aí.

– Você prepara o café?!

– Isso, como Kazu sempre fazia.

– Ah.

– Agora sou eu que cuido disso.

– É mesmo?

– É.

Mas esse foi o fim abrupto do fluxo da conversa. Miki parecia não saber mais o que dizer e olhou para baixo. Kei também não conseguiu encontrar algo para falar, mas queria perguntar uma coisa.

A única coisa que eu fiz por você foi te colocar neste mundo. Pode me perdoar por isso?

Mas como ela poderia esperar receber tamanho perdão? Havia causado tanta tristeza…

A reação de Miki fez Kei achar que tinha sido egoísmo ir para o futuro. Com cada vez mais dificuldade para encará-la, Kei passou a olhar o café a sua frente.

A superfície do café que enchia a xícara tremia muito sutilmente. Não havia mais a fumacinha subindo. Julgando pela temperatura da xícara, logo ela teria que partir.

O que foi que eu vim fazer aqui? Adiantou alguma coisa eu vir do passado? Agora tudo me parece tão inútil. Isso só fez gerar mais sofrimento. Quando eu voltar para o passado, por mais que eu tente, a tristeza de Miki não vai sarar.

Não dá para mudar isso. Kohtake, por exemplo, voltou ao passado, mas isso não curou Fusagi. Da mesma maneira, Hirai não conseguiu impedir sua irmã de morrer.

Kohtake conseguiu receber sua carta, e Hirai encontrou a irmã. A doença de Fusagi ainda estava se agravando, e Hirai nunca mais irá vê-la.

É a mesma coisa comigo. Não tem nada que eu possa fazer para mudar os quinze anos que Miki passou na tristeza.

Apesar de ter realizado o desejo de visitar o futuro, Kei ainda sentia um desespero agudo.

– Bem, não posso deixar o café esfriar – disse, enquanto estendia a mão e pegava a xícara.

Hora de voltar.

Mas, naquele momento, ela ouviu passos se aproximando. Miki tinha parado perto dela.

Ela pôs a xícara na mesa e olhou diretamente para a filha.

Miki...

Kei não sabia o que Miki estava pensando. Mas agora não conseguia tirar os olhos dela. A garota estava tão perto que Kei quase poderia tocá-la.

Miki respirou fundo.

– Uns instantes atrás... – começou ela com a voz trêmula. – Quando você disse para Fumiko que eu não queria te ver... não é nada disso.

Kei ficou escutando, atendo-se a cada palavra.

– Eu sempre pensei... se a gente se encontrasse, é claro que eu ia querer conversar com você...

Havia tantas coisas que Kei também queria dizer.

– Mas na hora em que aconteceu, eu fiquei sem saber o que dizer.

Kei também não sabia o que dizer. Não tinha conseguido expressar com palavras o que queria perguntar.

– E sim... teve momentos em que eu fiquei bem triste.

Kei imaginava que sim. Pensar em Miki sozinha daquele jeito partia seu coração.

Não posso mudar esses seus momentos tristes.

– Mas... – Miki sorriu encabulada ao dar outro passo para frente. –Você me deu a minha vida e isso me deixa tão feliz...

Dizer o que precisa ser dito é algo que requer coragem. Certamente Miki precisou de toda a sua coragem para expressar seus sentimentos para a mãe que tinha acabado de conhecer. Sua voz vacilava, incerta, mas tinha revelado seus verdadeiros sentimentos.

Mas...

Lágrimas em profusão começaram a cair dos olhos de Kei.

Mas nunca poderei fazer mais por você do que gerá-la.

Miki também começou a chorar. Porém, usando as mãos para enxugar as lágrimas, sorriu ternamente.

– Mãe – chamou com uma voz nervosa e ao mesmo tempo eufórica, mas Kei a ouviu com total clareza.

Miki a chamara de *mãe.*

Mas eu não lhe dei nada...

Kei cobriu o rosto com as mãos. Seus ombros tremiam enquanto ela chorava.

– Mãe.

Ao ser chamada de novo, Kei se lembrou de repente.

Logo ela precisaria se despedir.

– Diga... minha filha.

Kei ergueu o rosto e sorriu, retribuindo os sentimentos de Miki.

– Obrigada – agradeceu Miki com o maior sorriso de todos. – Muito obrigada por ter me gerado. Muito mesmo.

Ela olhou para Kei e fez o sinal da paz rapidamente.

– Miki.

– Mãe.

Naquele momento, o coração de Kei exultou; ela era a mãe daquela adolescente. Não era apenas uma familiar qualquer – era a mãe daquela menina que estava na sua frente. Kei não conseguiu conter o pranto.

Eu finalmente entendi.

O presente não mudou para Kohtake, mas ela proibiu os outros de a chamarem pelo seu sobrenome de solteira, e sua atitude em relação a Fusagi mudou. Ela ficaria com Fusagi e continuaria sendo sua esposa, mesmo que tivesse desaparecido da memória dele. Hirai abandonou seu bem-sucedido e próspero bar, e voltou para a família. Enquanto reconstruía sua relação com os pais, aprendia aos poucos como o hotel funcionava.

O presente não muda.

Fusagi não tinha mudado em nada, mas Kohtake passou a desfrutar das conversas com ele. Hirai havia perdido a irmã, mas a foto que Hirai enviara para o café a mostrava feliz junto aos pais.

O presente não tinha mudado – mas essas duas pessoas tinham. Tanto Hirai quanto Kohtake voltaram para o presente de coração mudado, prontas para seguir em frente.

Kei fechou os olhos devagar.

Eu estava tão concentrada no que não dava para mudar que me esqueci da coisa mais importante.

No seu lugar, Fumiko havia passado esses quinze anos ao lado de Miki. Nagare fora um pai presente e muito amoroso, certamente querendo compensar a ausência da mãe. Também no seu lugar, Kazu tinha enchido Miki de carinho, no papel de mãe e de irmã mais velha. Kei percebeu que Miki estava cercada de pessoas afetuosas que realmente a apoiaram naqueles quinze anos sem ela e que desejavam do fundo do coração que ela fosse feliz.

Tenho tanto orgulho de você... Obrigada por ter crescido com tanta saúde e alegria. Você me deixou muito feliz só de ter crescido tão bem e saudável. É só isso que eu quero te dizer... Gratidão, é isso que eu sinto bem aqui no meu íntimo.

– Miki... – Sem enxugar as lágrimas, Kei abriu seu melhor sorriso para a filha. – Obrigada pela honra que foi gerar você.

Quando Kei voltou do futuro, seu rosto estava repleto de lágrimas. No entanto, todos perceberam de imediato que não eram lágrimas de tristeza.

Nagare suspirou aliviado, e Kohtake desatou a chorar.

Mas Kazu sorriu com tanta ternura que era como se houvesse visto com seus próprios olhos o que tinha acontecido.

– Bem-vinda ao lar – disse ela.

No dia seguinte, Kei foi para o hospital. Na primavera do ano seguinte, uma bebê cheia de vida, saudável e feliz veio ao mundo.

A matéria da revista sobre a lenda urbana dissera: "No fim das contas, quer a pessoa volte para o passado ou viaje para o futuro, o presente não muda. Então fica a pergunta: para que exatamente serve aquela cadeira?".

No entanto, Kazu continuava acreditando que, independentemente das dificuldades que as pessoas estivessem enfrentando, elas sempre teriam a força necessária para vencê-las. E se a cadeira era capaz de mudar o coração de alguém, ela claramente servia para alguma coisa.

Porém, com sua expressão impassível, Kazu apenas diria:

– Beba o café antes que ele esfrie.

Fim